D0372181

Drei Frauen, drei Leben, drei Kontinente – dieselbe Sehnsucht nach Freiheit

Die Lebenswege von Smita, Giulia und Sarah könnten unterschiedlicher nicht sein. In Indien setzt Smita alles daran, damit ihre Tochter lesen und schreiben lernt. In Sizilien entdeckt Giulia nach dem Unfall ihres Vaters, dass das Familienunternehmen, die letzte Perückenfabrik Palermos, ruiniert ist. Und in Montreal soll die erfolgreiche Anwältin Sarah Partnerin der Kanzlei werden, da erfährt sie von ihrer schweren Erkrankung.
Ergreifend und kunstvoll flicht Laetitia Colombani aus den drei außergewöhnlichen Geschichten einen prachtvollen Zopf.

»Mit dem Buch ›Der Zopf‹ hat S. Fischer ein neues Lieblingsbuch von mir verlegt.« *Elke Meißner*, Thalia Buchhandlung Leipzig

»Was für ein schönes Buch, was für starke Frauen. Ich bin begeistert.« *Hannelore Wolter*, Thalia Hugenottenplatz, Erlangen

»Fantastisch – welche Energie freigesetzt wird, wenn man den Mut zum Aufbruch hat. Ein tolles Lesevergnügen.«
Jürgen Schaumann, Morys Hofbuchhandlung, Donaueschingen

Laetitia Colombani wurde 1976 in Bordeaux geboren, sie ist Filmschauspielerin und Regisseurin. »Der Zopf« ist ihr erster Roman und steht seit Erscheinen auf der SPIEGEL-Bestsellerliste. Die Filmrechte sind bereits vergeben, das Drehbuch hat Laetitia Colombani geschrieben. Auch ihr zweiter Roman »Das Haus der Frauen« steht seit Erscheinen auf der SPIEGEL-Bestsellerliste. Die Autorin lebt in Paris.

Claudia Marquardt studierte Romanistik, Germanistik und Kunstgeschichte in Berlin und Lyon. Sie arbeitet als Lektorin und Übersetzerin in Berlin.

Weitere Informationen finden Sie auf www.fischerverlage.de

Laetitia
Colombani

Der
Zopf

Roman

Aus dem Französischen
von Claudia Marquardt

FISCHER Taschenbuch

MIX
Papier aus verantwortungsvollen Quellen
FSC® C083411

10. Auflage: Juli 2020

Erschienen bei FISCHER Taschenbuch
Frankfurt am Main, April 2019

Die Originalausgabe erschien unter dem Titel
›La Tresse‹ bei Éditions Grasset & Fasquelle, Paris 2017
© Éditions Grasset & Fasquelle, 2017
© 2018 S. Fischer Verlag GmbH, Hedderichstr. 114,
D-60596 Frankfurt am Main

Satz: Dörlemann Satz, Lemförde
Druck und Bindung: CPI books GmbH, Leck
Printed in Germany
ISBN 978-3-596-70185-8

Für Olivia

Den mutigen Frauen

Zopf, der: Substantiv, maskulin. Drei ineinander-
geschlungene Haarstränge.

»… Simone, es schwingt ein Geheimnis im Wald deiner Haare.«

Rémy de Gourmont

»Eine freie Frau ist das genaue Gegenteil eines leichten Mädchens.«

Simone de Beauvoir

Prolog

Es ist der Beginn einer Geschichte.
Einer neuen Geschichte, jedes Mal.
In meinen Händen erwacht sie zum Leben.

Zunächst ist da die Montur.
Das Gewebe muss fest genug sein,
um dem Ganzen Halt zu geben.
Seide oder Baumwolle, für das Leben
oder für die Bühne.
Je nachdem.
Baumwolle ist widerstandsfähiger,
Seide feiner und dezenter.
Man braucht einen Hammer und Nägel.
Vor allem muss man behutsam vorgehen.

Dann kommt das Knüpfen.
Das ist der Teil, den ich am liebsten mag.

Auf den Rahmen vor mir
sind drei Fäden gespannt.
Man muss die Haare einzeln aus dem
Gebinde ziehen,
drei und wieder drei,
sie ineinanderschlingen, ohne sie
zu beschädigen.

Und dann wieder von vorn anfangen.
Tausende Male.

Ich liebe diese einsamen Stunden,
diese Stunden, in denen meine Hände tanzen.
Es ist ein sonderbares Ballett,
das meine Finger aufführen.
Sie schreiben die Geschichte eines Zopfes,
die Geschichte von Verflechtungen.
Es ist meine Geschichte.

Und dennoch gehört sie mir nicht.

Smita
Badlapur, Uttar Pradesh, Indien

Smita erwacht mit einem seltsamen Gefühl, einer sanften Ruhelosigkeit, nie dagewesenen Schmetterlingen im Bauch. Heute ist ein Tag, an den sie sich ihr Leben lang erinnern wird. Heute kommt ihre Tochter in die Schule.

Smita selbst hat keine Schule je von innen gesehen. In Badlapur haben Leute wie sie dort nichts zu suchen. Smita ist eine Dalit. Eine Unberührbare. Eine von denen, die Gandhi »Kinder Gottes« nannte. Keiner Kaste zugehörig, im System nicht vorgesehen, jenseits von allem. Eine gesonderte Art Mensch, als zu unrein betrachtet, um mit anderen in Berührung zu kommen. Unwürdiger Abschaum, den man bedacht auf Distanz hält, wie man die Spreu vom Weizen trennt. Millionen leben wie Smita außerhalb der Städte, abseits der Gesellschaft, an der Peripherie der Menschlichkeit.

Jeden Morgen dasselbe Ritual. Als sei sie eine zerkratzte Schallplatte, die eine Höllensymphonie in Endlosschleife spielt, so wacht Smita in der schäbigen Hütte auf, die ihr Zuhause ist und die gleich neben den bestellten Feldern der Jats steht. Sie wäscht sich Gesicht und Füße mit dem Wasser, das sie am Abend zuvor aus dem Brunnen geschöpft hat, der ausschließlich solchen wie ihr zugedacht ist. Völlig undenkbar, sich an einem anderen Brunnen zu bedienen, etwa an dem für die höheren Kasten, der ganz in der Nähe liegt und leicht zugänglich ist. So mancher hat schon für Geringeres sein Leben gelassen. Smita macht sich fertig, frisiert Lalita, küsst Nagarajan. Dann nimmt sie den Weidenkorb, den bereits ihre Mutter benutzt hat, sie muss ihn nur ansehen, und schon wird ihr übel, diesen Korb, dem ein unauslöschlicher beißender Gestank anhaftet, diesen Korb, den sie sich Tag für Tag wie ein Kreuz aufbürdet, wie eine schmachvolle Last. Dieser Korb ist ihr Martyrium. Ein Fluch. Eine Strafe. Für etwas, das sie in einem ihrer vorherigen Leben getan haben muss, sie muss dafür zahlen, büßen, doch letztlich ist dieses Leben auch nicht von größerer Bedeutung als alle vorherigen oder zukünftigen, es ist bloß ein Leben unter anderen, sagte ihre Mutter. So ist es nun einmal, es ist ihr Leben.

Es ist ihr *Dharma*, ihre Pflicht, ihr Platz in der Welt. Eine Aufgabe, die seit Generationen von der Mutter an die Tochter weitervererbt wird. *Scavenger* – auf Englisch bedeutet das Wort so viel wie »Schmutzsammler«. Eine dezente Bezeichnung für eine Realität, die genau das nicht ist. Es gibt kein Wort, um zu beschreiben, was Smita macht. Sie sammelt den ganzen Tag über mit bloßen Händen die Scheiße der anderen auf. Sie war sechs Jahre alt, so alt wie Lalita heute, als ihre Mutter sie zum ersten Mal mitnahm. Sieh gut hin, danach machst du es selbst. Smita erinnert sich an den Geruch, der sie heftig wie ein Wespenschwarm anfiel, ein unerträglicher, unmenschlicher Gestank. Sie hatte sich am Straßenrand übergeben müssen. Du wirst dich daran gewöhnen, hatte ihre Mutter gesagt. Das war gelogen. An so etwas gewöhnt man sich nicht. Smita hat schlicht gelernt, die Luft anzuhalten, einfach nicht mehr zu atmen. Sie müssen Atem holen, hat der Dorfarzt sie ermahnt, hören Sie nur, wie Sie husten. Sie müssen essen. Doch der Appetit ist Smita seit langem vergangen. Sie weiß nicht mehr, wie es ist, Hunger zu haben. Sie isst wenig, das strikte Minimum, pro Tag eine Handvoll in Wasser angerührten Reis, den sie ihrem rebellierenden Körper auferlegt.

Dabei hatte die Regierung dem Land Toiletten versprochen. Nur sind die leider nicht bis hierher vorgedrungen. In Badlapur wie auch anderswo erleichtert man sich unter freiem Himmel. Überall ist die Luft verpestet, die Ströme, die Flüsse, die Felder, alles ist durch Tonnen von Exkrementen verschmutzt. Die Krankheiten breiten sich aus wie ein Lauffeuer. Die Politiker wissen es: Dringender als jede Reform, als soziale Gleichheit, sogar als Arbeitsplätze fordert das Volk Toiletten. Das Recht, in Würde seine Notdurft zu verrichten. In den Dörfern sind die Frauen gezwungen, bis zum Anbruch der Dunkelheit zu warten, um auf die Felder zu gehen, wo sie vielfältigen Übergriffen ausgesetzt sind. Wer es gut getroffen hat, hat sich ein Eckchen im eigenen Hof oder im hintersten Winkel seines Hauses angelegt, wohin man sich zurückziehen kann, ein einfaches Loch im Boden, das man schamhaft als »Trockentoilette« bezeichnet, Latrinen, die jeden Tag von Dalit-Frauen mit bloßen Händen geleert werden. Von Frauen wie Smita.

Ihre Runde beginnt um sieben Uhr. Smita nimmt ihren Weidenkorb und ihren Handfeger. Zwanzig Häuser muss sie am Tag säubern, sie hat keine Zeit zu verlieren. Mit gesenktem Blick, das Gesicht hinter einem Tuch verborgen, hält sie sich am Straßenrand. In manchen Dörfern müssen sich Dalits eine Rabenfeder anstecken, damit man sie erkennt. In anderen verlangt man, dass sie barfuß laufen. Die Geschichte des Unberührbaren, den man steinigte, weil er Sandalen trug, hat sich überall herumgesprochen. Smita betritt die Häuser durch eine eigens für sie vorgesehene Hintertür, sie darf den Bewohnern nicht begegnen, schon gar nicht mit ihnen sprechen. Sie ist nicht nur unberührbar, sie soll unsichtbar sein. Zum Lohn wirft man ihr Essensreste, manchmal alte Kleidung hin. Nicht berühren, nicht ansehen.

Manchmal bekommt sie auch gar nichts. Eine der Jat-Familien gibt ihr seit Monaten nichts mehr. Smita will schon seit einer Weile nicht mehr zu ihnen, eines Abends hat sie Nagarajan verkündet, sie werde nicht mehr dorthin gehen, sollen die ihre Scheiße doch selber wegmachen. Da hat Nagarajan die Angst gepackt: Wenn Smita nicht mehr dorthin geht, wird man sie fortjagen, sie besitzen kein eigenes Land. Die Jats werden ihre Hütte anzünden. Smita weiß doch, wozu diese Menschen imstande sind. »Wir werden dir beide Beine abhacken«, hatten sie einem anderen Dalit gedroht. Kurz darauf hat man den Mann ohne Gliedmaßen und mit Säureverätzungen auf einem Feld gefunden.

Ja, Smita weiß, wozu die Jats imstande sind.

Und deswegen geht sie am Morgen wieder zu ihnen.

Aber heute ist kein Morgen wie jeder andere. Smita hat eine Entscheidung getroffen, die sich ihr in aller Deutlichkeit aufgedrängt hat: Ihre Tochter wird die Schule besuchen. Es war nicht einfach, Nagarajan davon zu überzeugen. Wozu soll das gut sein?, hat er eingewendet. Selbst wenn Lalita Lesen und Schreiben lernt, wird ihr hier keiner eine Arbeit geben. Wer als Kloputzer auf die Welt kommt, stirbt auch als Kloputzer. Es ist ein Erbe, ein Kreislauf, aus dem niemand ausbrechen kann. Ein *Karma*.

Doch Smita hat nicht lockergelassen. Am nächsten Tag hat sie das Thema erneut angeschnitten, auch am übernächsten und an allen darauffolgenden. Sie weigert sich, Lalita auf ihre Runde mitzunehmen: Sie wird ihr nicht die Handgriffe eines Kloputzers beibringen, sie will nicht zusehen müssen, wie ihre Tochter in den Straßengraben kotzt, nein, Smita weigert sich. Lalita soll in die Schule gehen. Schließlich ist Nagarajan vor ihrer Entschlossenheit eingeknickt. Er kennt seine Frau; sie hat einen unbeugsamen Willen. Die kleine Dalit mit der dunklen Haut, die er zehn Jahre zuvor geheiratet hat, ist stärker als er, er weiß es. Also steckt er am Ende zurück. Na schön. Er wird die Schule des Dorfes aufsuchen, er wird mit dem Brahmanen sprechen.

Smita hat still über ihren Sieg gelächelt. Wie sehr hätte sie sich gewünscht, dass ihre Mutter so für sie eingetreten wäre, wie gern hätte sie eine Schule besucht, sich unter all die anderen Kinder gemischt. Lesen und Rechnen gelernt. Aber das war nicht möglich gewesen, Smitas Vater war jähzornig und gewalttätig, kein guter Mann wie Nagarajan. Er schlug seine Frau, wie sie es alle hier tun. Und wiederholte oft: Eine Frau ist ihrem Mann nicht ebenbürtig, sie gehört ihm. Sie ist sein Eigentum, seine Sklavin. Sie muss sich seinem Willen unterwerfen. Gewiss hätte ihr Vater eher seiner Kuh das Leben gerettet als seiner Frau.

Smita dagegen hat Glück: Nagarajan hat sie nie geschlagen, nie beleidigt. Und als Lalita geboren wurde, hat er sich sogar bereit erklärt, sie zu behalten. Dabei tötet man nicht weit von hier neugeborene Mädchen. In den Dörfern von Rajasthan verscharrt man sie lebend in einer Kiste unter dem Sand, gleich nach ihrer Geburt. Es dauert eine ganze Nacht, bis die kleinen Mädchen sterben.

Aber nicht hier. Smita betrachtet Lalita versonnen, wie sie auf dem Lehmboden der Hütte kauert und ihre einzige Puppe frisiert. Ihre Tochter ist schön. Sie hat feine Züge, langes Haar, das ihr bis zur Taille reicht und das Smita jeden Morgen entwirrt und flicht.

Meine Tochter wird lesen und schreiben können, sagt sie sich, und dieser Gedanke macht sie glücklich.

Ja, heute ist ein Tag, an den sie sich ihr Leben lang erinnern wird.

Giulia
Palermo, Sizilien

Giulia!

Mühsam öffnet Giulia die Augen. Von unten ertönt laut die Stimme ihrer Mutter.

Giulia! Scendi! Subito!

Kurz ist Giulia versucht, ihren Kopf unter dem Kissen zu vergraben. Sie hat nicht genug geschlafen – sie hat die Nacht wieder einmal mit Lesen verbracht. Doch sie weiß, sie muss aufstehen. Wenn ihre Mutter ruft, muss Giulia gehorchen – sie ist eine sizilianische Mutter.

Giulia!

Widerstrebend verlässt die junge Frau ihr Bett, zieht sich hastig an und geht in die Küche hinunter, wo ihre *Mamma* bereits ungeduldig am Werk ist. Ihre Schwester Adela sitzt am Frühstückstisch und lackiert sich in aller Ruhe die Fußnägel. Der Geruch des Lösungsmittels steigt Giulia scharf in die Nase, sie verzieht das Gesicht. Die Mutter serviert ihr eine Tasse Kaffee.

Dein Vater ist schon los. Du musst heute aufmachen.

Rasch greift Giulia nach den Schlüsseln der Fabrikhalle und verlässt das Haus.

Du hast gar nichts gegessen. Nimm dir wenigstens etwas mit!

Doch sie achtet nicht auf das, was ihre Mutter sagt, schwingt sich aufs Fahrrad und tritt kräftig in die Pedale. Die kühle Morgenluft wirkt belebend. Der Wind in den Straßen bläst ihr ins Gesicht. Als sie sich dem Markt nähert, weht ihr der Duft von Zitrusfrüchten und Oliven entgegen. Sie radelt am Stand des Fischers vorbei, der frisch gefangene Sardinen und Aal anpreist. Sie beschleunigt, fährt auf den Bordstein, lässt die Piazza Ballaro hinter sich, wo fliegende Händler lautstark ihre Kunden anlocken.

Schließlich erreicht sie die Sackgasse jenseits der Via Roma. Seit zwanzig Jahren – so alt ist Giulia heute – ist hier, in einem ehemaligen Kino, die Manufaktur ihres Vaters untergebracht. Er hat das alte Gemäuer gekauft, als der Umzug aus den vorherigen Räumlichkeiten sich nicht länger aufschieben ließ, sie waren zu eng geworden. An der Fassade kann man noch erkennen, wo damals die Filmplakate hingen. Doch die Zeit, in der die *Palermitani* in die Lichtspielhäuser strömten, um sich Komödien mit Alberto Sordi, Vittorio Gassman, Nino Manfredi, Ugo Tognazzi und Marcello Mastroianni anzusehen, ist lange vorbei ... Inzwischen haben die meisten kleinen Filmtheater zugemacht und sind wie dieses, das heute den Familienbetrieb beherbergt, umgestaltet worden. Giulias Vater hat die Umbaumaßnahmen seinerzeit eigenhändig durchgeführt. Aus der Projektionskabine machte er ein Büro, in den großen Vorführsaal zog er Fenster ein, damit die Arbeiterinnen dort genug Licht haben. Der Ort ähnelt *Papa*, denkt Giulia: Er hat etwas Strenges und strahlt dennoch Wärme aus. Trotz seiner legendären Wutanfälle schätzen und respektieren die Angestellten Pietro Lanfredi. Und seine Töchter kennen ihn als liebenden, wenn auch fordernden und autoritären Vater, er hat sie mit allen

Regeln der Disziplin großgezogen und ihnen einen Sinn für gutes Handwerk vermittelt.

Giulia holt den Schlüssel hervor und öffnet die Pforte. Normalerweise ist ihr Vater der Erste. Er legt Wert darauf, die Arbeiterinnen persönlich zu begrüßen – wie es sich für einen *Padrone* gehört. Ein freundliches Wort hier, eine kleine Aufmerksamkeit dort, eine ermunternde Geste allerseits. Doch heute muss er seine Runde bei den Friseursalons in Palermo und Umgebung drehen. Vor dem Mittag wird er nicht zurücksein. Solange ist Giulia die Hausherrin.

Um diese Uhrzeit liegt die Fabrik ruhig da. Es wird nicht lange dauern, bis das Raunen und Rauschen unzähliger Stimmen, bis Gelächter und Lieder den Ort erfüllen. Aber noch herrscht Stille, man hört nur Giulias Schritte. Sie geht zum Umkleideraum der Arbeiterinnen und stellt ihre Sachen in den Spind, der mit ihrem Vornamen gekennzeichnet ist. Dann greift sie nach dem Arbeitskittel, den sie sich jeden Tag wie eine zweite Haut überstreift, fasst ihre Haare zu einem strengen Knoten zusammen und steckt ihn geschickt mit Nadeln fest. Schließlich bedeckt sie ihren Kopf mit einem Tuch, eine unerlässliche Maßnahme – die eigenen Haare dürfen

nicht mit den zu behandelnden durcheinanderkom-
men. In diesem Arbeitsaufzug ist Giulia nicht mehr
die Tochter des Chefs: Sie ist eine ganz normale Ar-
beiterin, eine Angestellte des Hauses Lanfredi. Das
ist ihr wichtig. Sie will keine Vorzugsbehandlung.

Geräuschvoll schwingt die Eingangstür auf, und
ein fröhlicher Trupp Frauen strömt in die Hallen.
Von einem Augenblick auf den anderen erwacht die
Fabrik zum Leben, wird zu dem Ort bunten Trei-
bens, den Giulia so liebt. Laut plappernd drängen
die Arbeiterinnen zur Umkleide, legen ihre Kittel
und Schürzen an und steuern auf ihren Arbeitsplatz zu. Giulia schließt sich ihnen an. Agnese sieht
müde aus – ihr Jüngster bekommt gerade Zähne, sie
hat in der Nacht kaum ein Auge zugetan. Federica
kämpft mit den Tränen, ihr Verlobter hat sie verlassen. Schon wieder?!, ruft Alda. Er wird morgen wieder vor deiner Tür stehen, beruhigt Paola sie. Die
Frauen, die hier arbeiten, teilen mehr als nur den
gleichen Beruf. Während sich ihre Hände flink dar-
anmachen, Haare in Perücken zu verwandeln, reden sie über ihre Männer, das Leben und die Liebe.
Alle wissen Bescheid, dass Ginas Mann trinkt, dass
Aldas Sohn ständig mit der *Piovra* unterwegs ist,
dass Alessia eine kurze Affäre mit dem Exmann

von Rhina hatte, was diese ihr niemals verziehen hat.

Giulia fühlt sich wohl in der Gesellschaft dieser Frauen, einige von ihnen kennen sie schon seit ihrer Kindheit. Fast wäre sie hier geboren. Ihre Mutter erzählt gern, wie plötzlich die Wehen bei ihr einsetzten, während sie in der Haupthalle gerade dabei war, Haarsträhnen nach Länge und Qualität zu sortieren – heute arbeitet sie nicht mehr in der Fabrik, weil sie schlecht sieht, sie hat ihren Platz einer anderen mit schärferem Blick überlassen müssen. Giulia aber ist hier groß geworden, in diesem Meer von Haaren, die voneinander gelöst und gewaschen werden müssen, zwischen all den zu erledigenden Bestellungen. Sie erinnert sich an Ferien und freie Mittwoche, die sie in der Fabrik verbrachte, damit beschäftigt, den Angestellten bei der Arbeit zuzusehen. Sie beobachtete, wie die geschickten Hände der Frauen sich flink wie eine Ameisenarmee bewegten. Wie sie die Haare zum Entwirren erst auf große quadratische Kämme, die sogenannten Karden warfen, dann zum Reinigen in eine Wanne, die auf ein Gestell fixiert war – eine geniale Erfindung ihres Vaters, der nicht wollte, dass seine Mitarbeiterinnen sich den Rücken ruinierten. Und sie fand es lustig, wie die Haarsträhnen später zum Trocknen vor die Fenster gehängt wurden – sie sahen aus wie die Trophäen eines Indianerstammes, eine Reihe seltsam zur Schau gestellter Skalpe.

Manchmal hat Giulia den Eindruck, dass die Zeit an diesem Ort stehengeblieben ist. Während sie draußen, vor den Toren der Fabrik, ihren gewohnten Lauf fortsetzt, fühlt man sich hier drinnen vor ihr gefeit. Ein angenehmes, beruhigendes Gefühl, vermittelt es doch die Gewissheit, dass die Dinge von wundersamer Dauer sind.

Seit fast einem Jahrhundert lebt ihre Familie von der *Cascatura*, einem alten sizilianischen Brauch, der darin besteht, Haare, die ausfallen oder abgeschnitten werden, zu sammeln, um später Toupets oder Perücken daraus zu machen. Giulias Urgroßvater gründete die Lanfredi-Werkstatt im Jahr 1926, heute ist das Unternehmen eines der letzten seiner Art in Palermo. Gut ein Dutzend Facharbeiterinnen entwirrt hier tagaus, tagein unzählige Büschel Haare und bereitet sie so auf, dass sie Absatz in ganz Italien, sogar europaweit finden. An ihrem sechzehnten Geburtstag hat Giulia verkündet, sie werde die Schule verlassen, um ihren Vater in der Fabrik zu unterstützen. Ihre Lehrer, allen voran ihr Italienischlehrer, versuchten, sie umzustimmen, sie sei eine begabte Schülerin und habe das Zeug für ein Universitätsstudium. Doch nichts hat Giulia von ihrem Weg abbringen können. Mehr noch als einem Traditionsbewusstsein entspringt der Dienst an den Haaren bei den Lanfredis einer Leidenschaft, die von einer Generation an die nächste weitergegeben wird. Seltsamerweise haben Giulias Schwestern nie großes Interesse für das Metier gezeigt, sie ist die Einzige der Lanfredi-Töchter, die darin aufgeht. Francesca hat jung geheiratet und arbeitet nicht: Sie ist inzwischen Mutter von vier Kindern. Adela, die jüngste der Schwestern, geht noch zur Schule und träumt von einem Job in der Modebranche oder als Mannequin – alles, nur nicht dem Beispiel der Eltern folgen.

Bei gewissen Bestellungen außer der Reihe, etwa ungewöhnlichen Haarfarben, wendet der *Papa* ein wohlgehütetes Betriebsgeheimnis an: eine Methode, die er von seinem Vater und der wiederum vom Großvater übernommen hat, sie funktioniert auf der Basis von Naturprodukten, deren Namen er niemals laut ausspricht, nur Giulia ist eingeweiht. Oft nimmt er sie mit aufs Dach, in sein *Laboratorio*, wie er es nennt. Von dort oben kann man das Meer sehen und, auf der anderen Seite, den Monte

Pellegrino. Wenn er in seinem weißen Kittel vor den großen brodelnden Bottichen steht, um die Edelfärbungen durchzuführen, sieht er aus wie ein Chemie-Professor. Mit äußerster Konzentration verfolgt Giulia stundenlang die Prozedur, wie er den Haaren die Pigmente entzieht, ohne sie zu schädigen, und sie wieder neu färbt. Ihr Vater wacht über die Haare wie ihre *Mamma* über die Pasta. Er rührt sie mit einem Holzlöffel, legt ihn beiseite, wartet ab und beginnt abermals zu rühren, unermüdlich. Die Sorgfalt, mit der er jede seiner Bewegungen ausführt, lässt Geduld, Strenge und auch Liebe erkennen. Diese Haare, sagt er, werden eines Tages getragen, und deshalb verdienen sie den allergrößten Respekt. Manchmal verfängt Giulia sich in Tagträumereien über die Frauen, für die diese Perücken bestimmt sind – Männer mit Toupets bilden eher die Ausnahme, viele sind zu stolz, eines zu tragen, zu gefangen in einer bestimmten Vorstellung von Männlichkeit.

Aus einem unerfindlichen Grund widersetzen sich manche Haare der Lanfredischen Zauberformel. Zwar kommen die meisten, nachdem sie in die Bottiche getaucht wurden, milchweiß wieder zum Vorschein, so dass man sie anschließend mühelos neu färben kann. Einzelne jedoch behalten störrisch ihre ursprüngliche Farbe, sie stellen ein echtes Problem dar: Nicht auszudenken, dass ein Kunde inmitten einer penibel behandelten Strähne ein widerspenstiges schwarzes oder braunes Haar entdeckt! Da Giulia mit einem außergewöhnlichen Sehvermögen gesegnet ist, fällt ihr die heikle Aufgabe zu, die Haare einzeln in Augenschein zu nehmen und die unbezähmbaren zu entfernen. Eine wahre Hexenjagd, die sie da jeden Tag unternimmt, minutiös geht sie auf die Pirsch, pausenlos.

Paolas Stimme reißt sie aus ihren Gedanken.

Mia cara, du siehst müde aus. Du hast bestimmt wieder die ganze Nacht gelesen.

Giulia widerspricht nicht. Vor Paola kann man nichts verbergen. Sie ist die Älteste unter den Arbeiterinnen der Werkstatt. Alle hier nennen sie die *Nonna*. Sie hat Giulias Vater schon gekannt, als er noch ein Kind war; oft genug hat sie ihm geholfen, die Schnürsenkel zu binden. Mit ihren fünfundsiebzig Jahren sieht sie alles. Ihre Hände sind zerfurcht, ihre Haut knittrig wie Pergamentpapier, indes hat ihr Blick nichts an seiner Schärfe eingebüßt. Vier Kinder hat sie allein großgezogen, nachdem sie mit fünfundzwanzig Witwe wurde. Wenn man sie fragt, warum sie sich zeit ihres Lebens geweigert hat, noch einmal zu heiraten, antwortet sie, dass sie zu sehr an ihrer Freiheit hängt: *Eine verheiratete Frau muss Rechenschaft ablegen*, sagt sie. *Mach, was du willst, mia cara, aber heirate bloß nicht*, trichtert sie Giulia beharrlich ein. Gern erzählt sie von ihrer Verlobung mit dem Mann, den ihr Vater für sie ausgesucht hatte. Die Familie ihres zukünftigen Gatten besaß eine Zitronenplantage. Selbst am Tag ihrer Hochzeit musste die *Nonna* schuften und Zitronen ernten. Auf dem Land kannte man keine Verschnaufpause. Sie erinnert sich an den Duft der Zitronen, der immer in der Kleidung ihres Mannes hing und an seinen Händen haftete. Als er wenige Jahre nach der Hochzeit an einer Lungenentzündung starb und sie mit vier kleinen Kindern zurückließ, musste sie in die Stadt ziehen, um eine Arbeit zu suchen. Dort traf sie auf Giulias Großvater, der sie in seinem Betrieb anstellte. Inzwischen ist sie seit fünf Jahrzehnten in dem Familienunternehmen unter Vertrag.

In deinen Büchern findest du bestimmt keinen Mann!, ruft Alda herüber.

Lass sie um Himmels willen damit in Ruhe, schimpft die *Nonna*.

Giulia ist nicht auf der Suche nach einem Mann. Sie vertreibt sich ihre Zeit weder in den Cafés noch in den Clubs, die bei den Gleichaltrigen hoch im Kurs stehen. *Meine Tochter ist ein bisschen scheu*, pflegt ihre *Mamma* zu sagen. Dem Lärm der Clubs zieht Giulia die gedämpfte Stille der *Biblioteca comunale* vor. Jeden Tag in der Mittagspause geht sie dorthin. Sie ist eine unersättliche Leserin, und sie liebt die Atmosphäre, die in den großen, mit Büchern tapezierten Räumen herrscht, wo nur das Geräusch der Seiten beim Umblättern zu hören ist. Sie empfindet etwas Religiöses an diesem Ort, ihr gefällt die beinah mystische Andacht, der die Besucher sich hier ergeben. Wenn sie liest, verliert Giulia jegliches Zeitgefühl. Als Kind, zu den Füßen der Arbeiterinnen kauernd, wälzte sie die Romane von Emilio Salgari. Später entdeckte sie die Poesie für sich. Sie verehrt Ungaretti, mehr noch Caproni, die Prosa eines Moravia verzaubert sie, doch über allem steht für sie die Sprache Cesare Paveses, ihres Lieblingsautors. Sie ist überzeugt davon, dass ihr im Leben die Gesellschaft seiner Bücher ausreichen würde. Wenn sie liest, vergisst Giulia mitunter auch das Essen. Nicht selten kehrt sie aus der Mittagspause mit leerem Magen an ihren Arbeitsplatz zurück. Man kann sagen: Giulia verschlingt Bücher wie andere Menschen Cannelloni.

Als sie an diesem Nachmittag die Werkstatt wieder betritt, schlägt ihr eine ungewöhnliche Stille in der Haupthalle entgegen. Alle Blicke sind auf sie gerichtet.

Cara mia, sagt die *Nonna* mit einer Stimme, die Giulia nicht an ihr kennt, deine Mutter hat gerade angerufen.

Dem *Papa* ist etwas zugestoßen.

Sarah
Montreal, Kanada

Der Wecker klingelt, der Countdown läuft. Von dem Augenblick an, da sie aufsteht, bis zu dem Moment, da sie wieder ins Bett geht, führt Sarah einen Kampf gegen die Zeit. In der Sekunde, in der sie die Augen aufschlägt, schaltet sich ihr Hirn ein wie der Prozessor eines Computers.

Jeden Morgen um fünf wacht sie auf. Keine Zeit, länger zu schlafen, jede Sekunde zählt. Ihre Tage sind mit der Stoppuhr abgemessen, millimetergenau eingeteilt wie die Mathehefte, die sie nach den Sommerferien für ihre Kinder besorgt. Die Zeit der Unbeschwertheit, bevor sie in der Kanzlei anfing zu arbeiten, bevor sie Kinder bekam, bevor diese ganze Verantwortung auf ihr lastete – sie ist lange vorbei. Damals genügte ein kurzer Anruf, um ihrem Tag eine unvorhergesehene Richtung zu geben: Sollen wir heute Abend nicht …? Und wenn wir einfach wegfahren würden …? Wir könnten doch …? Heute ist alles geplant, durchorganisiert, einkalkuliert. Improvisation? Fehlanzeige. Die Rolle ist gelernt, geprobt und wird gespielt, jeden Tag, jede Woche, jeden Monat, das ganze Jahr. Mutter, Führungskraft, Powerfrau mit Sexappeal, It-Girl, Superheldin – die Etiketten, mit denen die einschlägigen Magazine Frauen wie sie versehen, sind zahlreich und wiegen tonnenschwer.

Sarah steht auf, duscht sich, zieht sich an. Ihre Bewegungen sind präzise, effizient, orchestriert wie eine Militärsymphonie. Sie geht in die Küche hinunter, deckt den Tisch für das Frühstück, immer in derselben Reihenfolge: Milch/Tassen/Orangensaft/Kakao, Pfannkuchen für Hannah und Simon, Müsli für Ethan, einen doppelten Espresso für sie selbst. Danach weckt sie die Kinder, zuerst Hannah, dann die Zwillinge. Die Kleinen müssen sich nur das Gesicht waschen und in die Kleidung schlüpfen, die Ron ihnen am Abend zuvor zurechtgelegt hat, während Hannah die Lunchboxen füllt, ein eingespieltes System, das so reibungslos und schnell funktioniert, wie Sarah in ihrem Auto durch die Straßen der Stadt rauscht, um die Kinder an der Schule abzusetzen, erst Simon und Ethan, dann Hannah.

Nach den Abschiedsküssen, den *Hast du auch nichts vergessen, Zieh dir die Jacke über, Viel Erfolg für die Mathearbeit, Quatscht nicht so viel im Unterricht, Nein, du gehst zum Sport* und schließlich dem traditionell gewordenen *Nächstes Wochenende seid ihr bei euren Vätern*, nimmt Sarah Kurs auf die Kanzlei.

Punkt acht Uhr parkt sie ihren Wagen auf dem Stellplatz mit dem Schild, das ihren Namen trägt: »Sarah Cohen, Johnson & Lockwood«. Sie betrachtet die Tafel jeden Morgen mit einem gewissen Stolz, die Aufschrift ist mehr als nur ein Hinweis auf ihre Berechtigung, hier zu parken. Sie ist ein Titel, ein Dienstgrad, sie zeigt Sarahs Platz in der Welt an. Sie ist der Nachweis einer Leistung, eines Lebenswerks. Ihres Erfolgs. Das ist ihr Revier.

In der Eingangshalle grüßt sie erst der Portier, dann die Telefonistin, ein festgelegtes Ritual. Alle hier schätzen Sarah. Sie betritt den Fahrstuhl, drückt auf den Knopf zur achten Etage, durchmisst eiligen Schrittes die Flure bis zu ihrem Büro. Viele sind noch nicht da, oft ist sie die Erste, die kommt, und die Letzte, die geht. Das ist der Preis, den man für eine solche Karriere zahlt, zu diesem Preis wird man Sarah Cohen, Mitgesellschafterin bei *Johnson & Lockwood*, einer der renommiertesten und gefragtesten Kanzleien der Stadt. Das Anwaltsbüro ist für seinen Chauvinismus bekannt, und Sarah ist die erste Frau, die zur Teilhaberin aufgestiegen ist, obwohl die meisten Angestellten hier weiblich sind. Die Mehrzahl ihrer ehemaligen Kommilitoninnen ist an der gläsernen Decke gescheitert. Manche haben ihren Beruf sogar ganz aufgegeben und eine andere Laufbahn eingeschlagen, trotz der langen und mühsamen Studienjahre. Sie nicht. Nicht Sarah Cohen. Sie hat die Decke durchbrochen, hat sie mit unzähligen Überstunden, Wochenendschichten und nächtelanger Vorbereitung ihrer Plädoyers zur Explosion gebracht. Sie erinnert sich daran, wie sie das erste Mal vor zehn Jahren in der großzügigen, mit Marmor ausgelegten Eingangshalle stand. Sie war zum Vorstellungsgespräch eingeladen worden und fand sich plötzlich allein acht Männern gegenüber – unter ihnen der Gründer und geschäftsführende Gesellschafter Johnson, Gott persönlich, der sich dazu herabließ, für dieses Gespräch sein Büro zu verlassen und in den Konferenzraum zu kommen. Er hatte nicht ein Wort über die Lippen gebracht, Sarah lediglich mit strengem Blick gemustert und jede Zeile ihres Lebenslaufes einzeln studiert, ohne den geringsten Kommentar dazu abzugeben. Sarah war verunsichert gewesen, hatte sich jedoch nichts anmerken lassen, die Kunst der Verstellung beherrschte sie schon damals zur Perfektion. Als sie das Gebäude wieder verließ, war sie ziemlich entmutigt gewesen, Johnson hatte keinerlei Interesse an ihr bekundet, hatte ihr keine einzige Frage gestellt. Während des gesamten Gesprächs hatte er mit der undurchdringlichen Miene eines Pokerspielers dagesessen und sich am Ende gerade so zu einem unfreundlichen »Auf Wiedersehen« durchgerungen, das wenig Anlass zur Hoffnung auf eine Zukunft bei *Johnson & Lockwood* gab. Sarah wusste, dass sich viele Kandidaten auf den Job bewarben. Sie selbst kam von einer kleinen Kanzlei, andere verfügten vermutlich über mehr Erfahrung, mehr Kampfbereitschaft, hatten vielleicht auch einfach mehr Glück.

Später erfuhr sie, dass ausgerechnet Johnson sich für sie ausgesprochen und sie gegen den Willen von Gary Curst durchgesetzt hatte – sie würde damit klarkommen müssen. Gary Curst mochte sie nicht, möglicherweise mochte er sie auch zu sehr, vielleicht war er eifersüchtig, oder er begehrte sie, wie dem auch sei, er würde sich unter allen Umständen ihr gegenüber feindselig zeigen, ungerechtfertigterweise und unversöhnlich. Sarah kannte ehrgeizige Männer dieses Schlags zur Genüge, Männer, die

Frauen hassten, weil sie sich von ihnen bedroht fühlten, sie umgab sich mit ihnen, allerdings ohne gesteigerten Wert darauf zu legen. Sie bahnte sich ihren Weg und ließ sie am Straßenrand zurück. Im Galopp hatte sie bei *Johnson & Lockwood* die Stufen der Karriereleiter genommen und sich vor Gericht einen guten Ruf erarbeitet. Der Gerichtssaal war ihre Arena, ihr Revier, ihr Kolosseum. In dem Augenblick, da sie ihn betrat, wurde sie zur Kriegerin, zur unerbittlichen, schonungslosen Kämpferin. Wenn sie ein Plädoyer hielt, nahm ihre Stimme einen anderen Ton an, wurde tiefer, feierlicher, als sie es sonst war. Sie sprach in kurzen, scharfen Sätzen, die hart waren wie eine Serie von Uppercuts. Sie holte zum K.o.-Schlag aus, sobald sich nur die kleinste Schwachstelle in der Argumentation der gegnerischen Partei auftat. Ihre eigenen Akten kannte sie auswendig. Niemals ließ sie sich aus der Fassung bringen, niemals gab sie sich eine Blöße. Seit sie ihren Beruf ausübte, zunächst bei der kleinen Kanzlei in der Rue Winston, die sie gleich nach ihrem Staatsexamen eingestellt hatte, hatte sie fast alle Fälle gewonnen. Man bewunderte sie ebenso sehr, wie man sie fürchtete. Mit knapp vierzig Jahren galt sie bei den Juristen ihrer Generation als das Ideal einer erfolgreichen Anwältin.

Bei *Johnson & Lockwood* machte das Gerücht die Runde, dass der alte Johnson für seine Nachfolge Sarah im Blick haben könnte. Die Position des Geschäftsführers war heißbegehrt unter den übrigen Partnern. Alle sahen sich bereits auf dem Thron, Kalifen anstelle des Kalifen. Der Posten kam einer Weihe gleich, einem Mount Everest in der Welt der Jurisprudenz. Und Sarah brachte alles mit, um die Auserwählte zu sein: Sie wies eine beispielhafte Laufbahn vor, verfügte über einen unbeugsamen Willen und eine Leistungsfähigkeit, die außer Konkurrenz stand – eine Form von Bulimie, die sie immer weiter vorantrieb. Sarah ähnelte einer Spitzensportlerin, einer Alpinistin, die nach jeder erklommenen Bergspitze schon die nächste in Angriff nahm. Genauso betrachtete sie ihr Leben: als einen langen Aufstieg. Manchmal fragte sie sich, was geschehen würde, wenn sie einmal den Gipfel erreicht hätte. Sie wartete auf diesen Tag, ohne darauf zu hoffen.

Natürlich hatte ihre Karriere Opfer gefordert. Sie hatte sie eine Menge durchwachter Nächte gekostet, und ihre beiden Ehen. Auch wenn Sarah gern behauptete, dass Männer vor allem Frauen liebten, die sie nicht in den Schatten stellten, musste sie zugeben, dass zwei Anwälte in einer Beziehung einer zu viel waren. In einer Zeitschrift hatte sie einmal eine grausame Statistik zur Lebensdauer von Anwaltspaaren entdeckt und sie ihrem damaligen Ehemann gezeigt. Sie hatten beide herzlich darüber gelacht – bevor sie sich im Jahr darauf trennten.

Völlig in Anspruch genommen von ihrer Arbeit als Rechtsanwältin, hatte Sarah oft genug darauf verzichten müssen, Zeit mit ihren Kindern zu verbringen. All die Schulausflüge, Kirmessen und Tanzaufführungen zu verpassen, Geburtstagsfeiern und gemeinsame Urlaube auszulassen machte ihr mehr zu schaffen, als sie zugeben wollte. Sie war sich bewusst, dass solche Momente sich nicht nachholen ließen, und dieser Gedanke nagte an ihr. Seit dem Tag, an dem sie Hannah als gerade mal fünf Tage alten Säugling in den Armen eines Kindermädchens zurücklassen musste, um einen Notfall in der Kanzlei zu bearbeiten, wusste sie, wie sehr einer berufstätigen Mutter Schuldgefühle zusetzen konnten. Schnell hatte sie allerdings begriffen, dass es in dem Milieu, in dem sie sich bewegte, keinen Platz für das Zaudern untröstlicher Mütter gab. Fortan verbarg sie die Spuren ihrer Tränen unter einer dicken Schicht Make-up, bevor sie zur Arbeit ging. Sie fühlte sich innerlich zerrissen und viergeteilt, konnte jedoch niemandem ihr Herz ausschütten. Sie beneidete damals die Leichtigkeit ihres Mannes, überhaupt aller Männer, denen derartige Gefühle völlig fremd zu sein schienen. Unverschämt lässig verließen sie das Haus mit nichts anderem als ihren Akten, während sie die Bürde ihres Schuldbewusstseins überallhin mitschleppte, wie eine Schildkröte ihren schweren Panzer. Anfangs hatte sie noch versucht, gegen ihr schlechtes Gewissen anzukämpfen, es zurückzuweisen, es zu leugnen – ohne Erfolg. Am Ende hatte sie ihm als ständigen Begleiter, der sich überall ungefragt aufdrängte, einen Platz in ihrem Leben eingeräumt. Es war hässlich und unnütz wie eine riesige Werbetafel in der Landschaft, wie eine Warze im Gesicht, aber: Es war immer da. Man musste sich damit abfinden.

Ihren Mitarbeitern und den Partnern gegenüber ließ Sarah sich nichts anmerken. Sie hatte es sich zur Regel gemacht, nicht von ihren Kindern zu sprechen. Sie erwähnte sie nie und hatte kein Foto von ihnen im Büro aufgestellt. Wenn sie die Kanzlei wegen eines Termins beim Kinderarzt oder eines unumgänglichen Elternsprechtages verlassen musste, schützte sie einen *Auswärtstermin* vor. Es kam besser an, früher zu gehen, weil man eine *Verab-*

redung zu einem Drink hatte, als einen Engpass mit dem Babysitter anzudeuten. Es empfahl sich eher zu lügen, eine Ausrede parat zu haben, irgendeine Geschichte zu erfinden, alles war vorteilhafter als zuzugeben, dass man Kinder hatte, mit anderen Worten: Fesseln, Bande, Verpflichtungen. Etwas, das die Verfügbarkeit einschränkte, die Entwicklung der Karriere ausbremste.

Sarah erinnert sich nur zu gut daran, wie man in ihrer alten Kanzlei mit einer gerade beförderten Mitarbeiterin umgegangen war, die kurz darauf ihre Schwangerschaft bekanntgab. Die Kollegin sah sich im Handumdrehen ihrer neuen Funktionen wieder enthoben, sie wurde auf ihr altes Level zurückgestuft. Ein Akt stummer und unsichtbarer Gewalt, zu banal, als dass sich irgendjemand darum scherte. Sarah jedoch hatte daraus eine Lehre gezogen: Sie selbst verheimlichte ihre beiden Schwangerschaften zunächst vor ihren Vorgesetzten. Erstaunlicherweise hatte sich ihr Bauch lange Zeit nicht gewölbt, ungefähr bis zum siebten Monat war ihr Zustand nicht erkennbar gewesen, selbst als sie die Zwillinge erwartete. Als hätten ihre ungeborenen Kinder verstanden, dass sie sich besser im Hintergrund hielten. Ihre bevorstehende Geburt war ein gemeinsames Geheimnis zwischen ihnen und ihrer werdenden

Mutter, sie hatten eine Art stillschweigenden Pakt darüber geschlossen. Sarah hatte ihre Babypause so kurz wie möglich gehalten, zwei Wochen nach dem Kaiserschnitt kehrte sie mit tipptopp Figur, sorgfältig überschminkter Müdigkeit und perfektem Lächeln zurück an ihren Arbeitsplatz. Morgens, bevor sie ihren Wagen vor dem Büro abstellte, hielt sie kurz auf dem Parkplatz des benachbarten Supermarktes an, um die Babysitze von der Rückbank in den Kofferraum zu verfrachten und damit unsichtbar zu machen. Natürlich wussten ihre Kollegen, dass sie Kinder hatte, aber sie achtete penibel darauf, es ihnen nie ins Gedächtnis zu rufen. Eine Sekretärin durfte sich über das Zähnekriegen und Aufs-Töpfchen-Gehen auslassen, nicht aber eine aufstrebende Anwältin.

Auf diese Weise hatte Sarah eine undurchlässige Mauer zwischen ihrem beruflichen und ihrem Privatleben errichtet, beide verliefen parallel zueinander, es gab keine Berührungspunkte. Die Mauer war fragil, zeigte hier und dort Risse, vielleicht würde sie eines Tages einstürzen. Sei's drum. Ihr gefiel der Gedanke, dass ihre Kinder einmal stolz darauf sein würden, was sie aufgebaut hatte und wer sie war. Sie bemühte sich, die fehlende Quantität der gemeinsam verbrachten Zeit mit Qualität aufzuwiegen. Sobald sie ihre Kinder um sich hatte, war Sarah eine liebevolle und aufmerksame Mutter. Darüber hinaus war Ron zuständig. »Magic Ron«, wie die Kleinen ihn nannten. Er lachte über diesen Spitznamen, der beinahe eine Auszeichnung war.

Sarah hatte Ron ein paar Monate nach der Geburt der Zwillinge eingestellt. Kurz zuvor war sie mit Linda, der vorherigen Kinderfrau, schwer aneinandergeraten. Nicht nur kam Linda ständig zu spät und legte einen sehr verhaltenen Arbeitseifer an den Tag, sie beging außerdem eine schwerwiegende Pflichtverletzung, die ihren sofortigen Rauswurf zur Folge hatte: Als Sarah einmal unplanmäßig nach Hause fuhr, weil sie eine Akte vergessen hatte, fand sie Ethan, damals neun Monate alt, allein in seinem Bettchen vor, niemand sonst war da. Eine Stunde später traf Linda ein, als wäre nichts gewesen, sie hatte eine Runde mit Simon auf dem Markt gedreht. Bei ihrem Fehler ertappt, rechtfertigte Linda sich mit dem Argument, sie gehe abwechselnd mit den Zwillingen spazieren, da sie sich überfordert fühle, beide gleichzeitig auszuführen. Sarah entließ sie auf der Stelle. In der Kanzlei gab sie einen eingeklemmten Ischiasnerv vor und verbrachte die nächsten Tage damit, Dutzende Kandidaten für die

Betreuung ihrer Kinder vorsprechen zu lassen, unter ihnen Ron. Sie war verwundert gewesen, dass sich ein Mann um die Stelle bemühte, und hatte seine Bewerbung gleich aussortiert – man las so viele Geschichten in der Zeitung … Überdies hatten sich ihre beiden Ehemänner nicht unbedingt in der Kunst hervorgetan, Windeln zu wechseln oder Fläschchen zu geben. Sie zweifelte schlicht an der Fähigkeit eines Mannes, diesen Aufgaben gerecht zu werden. Dann wiederum musste sie an ihr eigenes Bewerbungsgespräch bei *Johnson & Lockwood* denken, daran, was sie als Frau alles hatte leisten müssen, um sich in ihrem beruflichen Umfeld durchzusetzen. Schließlich revidierte sie ihr Urteil. Ron hatte wie alle anderen ein Recht darauf, seine Chance zu bekommen. An seinem Lebenslauf gab es nichts auszusetzen, er hatte gute Referenzen. Er war selbst Vater zweier Kinder und wohnte in einem der angrenzenden Stadtviertel. Er brachte offensichtlich alle erforderlichen Voraussetzungen für den Job mit. Sarah ließ ihn für zwei Wochen zur Probe arbeiten, in dieser Zeit erwies Ron sich als wahrer Glücksgriff: Er spielte stundenlang mit den Kindern, kochte göttlich, ging einkaufen, kümmerte sich um den Haushalt wie um die Wäsche und entlastete Sarah in allen lästigen Dingen, die der Alltag mit sich bringt. Die Kinder hatten ihn ins Herz geschlossen, sowohl die Jungs als auch Hannah, die damals fünf war. Sarah hatte sich gerade von ihrem zweiten Ehepartner getrennt, dem Vater der Zwillinge, und war der Meinung, dass der männliche Einfluss durch Ron sich positiv auf ihre Ein-Eltern-Familie auswirken könnte. Unbewusst spielte in ihre Entscheidung für ihn vielleicht auch hinein, dass niemand ihr den Platz der Mutter streitig machen würde. Und so wurde Ron zum »Magic Ron«, einer unverzichtbaren Größe in ihrem wie in dem Leben ihrer Kinder.

Wenn sie sich im Spiegel betrachtet, sieht Sarah eine vierzigjährige Frau, die alles erreicht hat: Sie hat drei wunderbare Kinder, ein schönes Haus in einem der besten Viertel der Stadt und kann auf eine berufliche Karriere blicken, um die viele sie beneiden. Sie entspricht dem Bild der perfekten Frau aus den Hochglanzmagazinen. Ihre Verletzung kann man nicht sehen, sie ist für andere nicht erkennbar hinter ihrem makellosen Äußeren.

Und dennoch existiert sie.

Es geht Sarah wie Tausenden Frauen im ganzen Land, ihr Leben zerfällt in zwei Teile. Sie ist eine tickende Zeitbombe.

Smita
Badlapur, Uttar Pradesh, Indien

Komm schon. Wasch dich. Trödle nicht herum.

Heute ist es so weit. Sie dürfen sich nicht verspäten.

Im Hof hinter der Hütte hilft Smita ihrer Tochter bei der Morgenwäsche. Folgsam lässt Lalita alles über sich ergehen, protestiert nicht einmal, als ihr das Wasser in die Augen läuft. Smita kämmt ihr die Haare, sie fallen der Kleinen inzwischen weit über die Schultern, seit ihrer Geburt sind sie nicht geschnitten worden. Die Frauen hier behalten ihre ersten Haare so lange wie möglich, manchmal bis an ihr Lebensende, so will es der Brauch. Smita teilt Lalitas Haarpracht in drei Stränge, die sie mit geübter Hand zu einem Zopf flicht. Dann reicht sie der Tochter den Sari, den sie für sie genäht hat, nächtelang hat sie daran gesessen. Eine Nachbarin hat ihr den Stoff geschenkt. Für die offizielle Schuluniform fehlt das Geld. Aber das macht nichts. Meine Tochter, sagt sich Smita, wird auch so an ihrem ersten Schultag schön aussehen.

Im Morgengrauen ist sie aufgestanden, um eine Mahlzeit für Lalita zuzubereiten – eine Kantine gibt es nicht, jedes Kind muss sein Mittagessen selbst mitbringen. Sie hat Reis gekocht und ein wenig von dem Curry hinzugefügt, den sie für besondere Anlässe zurückhält. Sie hofft, dass Lalita Appetit haben wird. Man braucht viel Energie, um Lesen und Schreiben zu lernen. Sie hat den Imbiss in eine improvisierte Lunchbox gefüllt – eine gründlich gereinigte Blechbüchse, die sie eigenhändig verziert hat. Lalita soll sich nicht schämen müssen vor den anderen. Ihre Tochter wird lesen können, genau wie sie. Wie die Kinder der Jats.

Kümmere dich um den Altar. Beeil dich.

Die Hütte besteht aus einem einzigen Raum, der als Küche, Schlafzimmer und Tempel zugleich dient. Lalita ist dafür zuständig, den kleinen Hausaltar, der den Göttern geweiht ist, in Ordnung zu halten. Sie zündet eine Kerze an und stellt sie neben den Andachtsbildern auf; am Ende der Lobgesänge darf sie das Glöckchen schwenken. Gemeinsam sprechen Mutter und Tochter das Gebet zu Ehren Vishnus, des Gottes der Schöpfung und allen Lebens, des Retters der Menschheit. Wenn die Ordnung der Welt durcheinandergerät, nimmt er Gestalt an, um auf die Erde zu kommen und Abhilfe zu schaffen. Nacheinander verkörpert er einen Fisch, eine Schildkröte, ein Wildschwein, einen Löwenmenschen oder gar einen Menschen. Lalita liebt es, wenn ihre Mutter nach dem Abendessen vor dem Altar die Legende der zehn Inkarnationen Vishnus zitiert. Als Mensch trat er zum ersten Mal in Erscheinung, um die Kaste der Brahmanen gegen die Kshatriyas zu verteidigen, fünf Seen schuf er aus dem Blut des ausgelöschten Kriegergeschlechts. Lalita läuft jedes Mal ein Schauer über den Rücken, wenn sie die Geschichte hört. Beim Spielen sieht sie sich vor, damit sie bloß keiner Ameise oder Spinne etwas zuleide tut, man weiß ja nie, ob Vishnu nicht gerade die Gestalt einer dieser Kreaturen angenommen hat. Ein Gott, der ihr über die Fingerspitze krabbelt. Die Vorstellung gefällt ihr und jagt ihr gleichzeitig einen Schrecken ein. Auch Nagarajan lauscht gern den Worten seiner Frau, wenn sie vor dem Altar sitzen. Smita ist eine geborene Geschichtenerzählerin, obwohl sie nicht einmal lesen kann.

Doch an diesem Morgen ist keine Zeit für Geschichten. Nagarajan ist in aller Frühe aufgebrochen, wie gewohnt hat er die Hütte bei Sonnenaufgang verlassen. Er arbeitet als Rattenfänger auf den Feldern der Jats. Wie schon sein Vater, der anstelle eines Erbes sein Wissen an den Sohn weitergegeben hat: die Fertigkeit, Ratten mit der bloßen Hand zu fangen. Die Nagetiere fressen die Ernte und zerstören durch ihre unterirdischen Gänge den Boden. Nagarajan kann die typischen winzigen Löcher in der Erde sofort erkennen. Man muss nur genau hinsehen, hatte sein Vater gesagt. Und geduldig sein. Du darfst keine Angst haben. Am Anfang werden sie dich beißen, aber du wirst hinzulernen. Nagarajan erinnert sich an seinen ersten Fang, er war acht gewesen, als er damals mit der nackten Hand in das Loch gegriffen hatte. In der nächsten Sekunde war ihm ein rasender Schmerz durch den Körper geschossen, die Ratte hatte ihn in die empfindliche Stelle zwischen Daumen und Zeigefinger gebissen, an der die Haut besonders dünn ist. Nagarajan hatte geschrien und heulend seine blutige Hand zurückgezogen. Sein Vater hatte gelacht. Du stellst dich nicht geschickt genug an. Du musst schneller sein, du musst sie überraschen. Versuch's noch mal. Nagarajan hatte Angst und nur mit Mühe neue Tränen unterdrücken können. Los, noch mal! Nach sechs Versuchen und sechs weiteren Bissen war es ihm gelungen, die riesige Ratte aus ihrem Versteck zu ziehen. Der Vater hatte das Tier am Schwanz gepackt, ihm mit einem Stein den Kopf zerschmettert und den Kadaver seinem Sohn hingehalten. Bitte schön. Stolz war Nagarajan mit der erlegten Beute wie mit einer Trophäe nach Hause geeilt.

Seine Mutter hatte ihm erst die schmerzende Hand verbunden, dann die Ratte gegrillt, die sie am Abend zusammen verspeisten.

Dalits wie Nagarajan bekommen keinen Lohn für ihre Arbeit, sie dürfen lediglich behalten, was sie fangen. Und das ist bereits ein Privileg: Denn eigentlich gehören die Ratten den Jats, so wie die Felder und alles, was sich darauf und darunter befindet.

Gegrillt schmecken Ratten nicht schlecht. Wie Hähnchenfleisch, meinen manche. Hähnchen für Arme, für Dalits. Es ist das einzige Fleisch, das ihnen zur Verfügung steht. Nagarajan behauptet, dass sein Vater die Ratten mit Haut und Haaren aß, nur den Schwanz ließ er übrig, weil der nicht bekömmlich sei. Er spießte das Tier auf einen Stock, briet es über dem Feuer und verschlang es am Stück. Lalita muss lachen, wenn Nagarajan davon erzählt. Smita zieht die Haut lieber ab. Und wenn sie am Abend die Ratten essen, die ihr Mann tagsüber gefangen hat, gibt es dazu Reis, mit Soße, für die Smita immer ein wenig von dem Kochwasser aufspart. Manchmal serviert sie auch das, was von den Essensresten der Familien übrig bleibt, bei denen sie die Klos putzt; allerdings teilt sie ihr Mitgebrachtes zuvor mit den Nachbarn.

Dein Bindi. Vergiss ihn nicht.

Lalita fördert zwischen ihren überschaubaren Habseligkeiten einen kleinen Flakon mit Nagellack zutage, den sie einmal am Straßenrand gefunden hat – sie hatte nicht gewagt, ihrer Mutter zu gestehen, dass er einer Passantin aus der Tasche gefallen und in den Graben gerollt war. Flink hatte Lalita das Fläschchen aufgehoben und wie einen Schatz, den niemand entdecken sollte, an sich gedrückt. Sie war so glücklich über ihre Beute gewesen und hatte sich gleichzeitig so geschämt, dass sie zu Hause vorgab, sie zufällig gefunden zu haben. Wenn Vishnu wüsste.

Smita nimmt ihrer Tochter den Flakon aus der

Hand und malt ihr einen zinnoberroten Punkt auf die Stirn. Es ist schwierig, den Punkt perfekt hinzubekommen, dazu bedarf es einiger Übung. Vorsichtig trägt sie den Lack mit der Fingerspitze auf, dann fixiert sie den Punkt mit Puder. Der Bindi, das sogenannte dritte Auge, soll Energie verleihen und die Konzentration steigern. Beides wird Lalita heute brauchen. Prüfend betrachtet Smita den einwandfreien Kreis auf der Stirn ihres Kindes und lächelt. Lalita ist hübsch. Sie hat schwarze Augen, ihr Mund ist sanft geschwungen, wie eine Blüte. Und der grüne Sari steht ihr wunderbar. Smita ist von Stolz erfüllt, vor ihr steht ihre schöne Tochter, die nun ein Schulkind ist. Mag sie auch Ratten essen, bald wird sie lesen können. Glücklich ergreift sie die Hand der Kleinen und geht mit ihr vor zu der großen Straße, über die seit den frühen Morgenstunden die Lastwagen rauschen. Sie muss Lalita helfen, sie zu überqueren, es gibt weder eine Ampel noch einen markierten Fußgängerüberweg.

Doch es sind nicht die Lastwagen, die Lalita zu schaffen machen. Angst hat sie vor dieser neuen Welt, die ihre Eltern nicht kennen und in die sie sich hineingeworfen sieht, ganz allein. Smita spürt die flehenden Blicke des Kindes. Es wäre nichts einfacher als kehrtzumachen, nach dem Weidenkorb zu greifen und ihre Tochter mit auf die Runde zu nehmen ... Nein. Sie will Lalita nicht in den Graben kotzen sehen. Ihre Tochter wird zur Schule gehen. Sie wird Lesen, Schreiben und Rechnen lernen.

Sei fleißig. Gehorche. Hör auf das, was der Lehrer sagt.

Die Kleine sieht plötzlich verloren aus, so zerbrechlich, dass Smita sie am liebsten in die Arme schließen und nie mehr loslassen möchte. Sie muss gegen diesen Impuls ankämpfen, sich selbst Gewalt antun. Der Lehrer hat »einverstanden« gesagt, als Nagarajan zu ihm gegangen ist. Dabei hat er das Kistchen betrachtet, in dem sich ihr gesamtes Erspartes befand – über Monate hinweg hatte Smita gewissenhaft für genau diesen Moment Münzen beiseitegelegt. Der Brahmane hat das Kistchen an sich genommen und »einverstanden« gesagt. Smita weiß, dass es hier so läuft. Nur Geld hat die nötige Überzeugungskraft. Als Nagarajan mit der guten Neuigkeit zu seiner Frau zurückkehrte, haben sie sich beide darüber gefreut.

Hand in Hand überqueren Mutter und Tochter die Straße, und plötzlich, auf der anderen Seite, ist der

Augenblick gekommen, da sie einander loslassen müssen. Smita würde so gern sagen: Freu dich, du wirst nicht mein Leben führen müssen, du wirst gesund sein und nicht so husten wie ich, du wirst besser leben und länger, man wird dich respektieren. An dir wird nicht dieser abstoßende Geruch haften, dieser unauslöschliche, gottverdammte Gestank, du wirst den anderen würdig gegenübertreten. Niemand wird dir wie einem Hund Essenreste hinwerfen. Du wirst nie wieder den Blick senken müssen. All das würde Smita ihrer Tochter so gern sagen. Aber ihr fehlen die Worte, um ihren Hoffnungen und ein wenig verrückten Träumen Ausdruck zu verleihen, um das Gefühl zu beschreiben, das sie hat, wenn dieser Schmetterling in ihrem Bauch mit den Flügeln schlägt.

Also beugt sie sich zu Lalita hinunter und sagt schlicht: *Geh schon.*

Giulia

Palermo, Sizilien

Giulia fährt aus dem Schlaf hoch.

Sie hat in der Nacht von ihrem Vater geträumt. Als Kind gab es für sie nichts Größeres, als ihn auf seinen Touren zu begleiten. Frühmorgens stiegen sie zusammen auf seine Vespa, sie durfte vorn sitzen und auf seine Knie klettern. Kaum fuhren sie los, spürte sie den Wind in ihren Haaren, sie liebte dieses berauschende Gefühl von Freiheit und Grenzenlosigkeit, das die Geschwindigkeit in ihr auslöste. Im Schutz der Arme ihres Vaters fühlte sie sich sicher, nichts konnte ihr passieren. Sie kreischte vor Vergnügen und Aufregung, wenn die Straße bergab führte. Sie sah die Sonne über der Küste Siziliens aufgehen, sah, wie sich allmählich in den Vororten das Leben regte, sich dehnte und streckte für den Tag.

Beschwingt klingelte sie an den Haustüren, vor

denen sie haltmachten. Guten Morgen, wir kommen wegen der *Cascatura*, verkündete sie stolz. Woraufhin die Frauen ihr kleine Beutel anvertrauten, in denen sie ihre Haare gesammelt hatten; manchmal steckten sie Giulia auch noch etwas zum Naschen zu. Freudestrahlend reichte sie die Ware dem *Papa*, der sogleich die kleine gusseiserne Waage aus seiner Tasche hervorholte, die bereits sein Vater und davor sein Großvater benutzt hatten. Gewissenhaft wog er die Haare, schätzte ihren Wert und gab den Besitzerinnen ein paar Münzen. Früher hatte man die Haare gegen Streichhölzer getauscht, mit der Erfindung des Feuerzeugs allerdings war dieser Handel eingeschlafen. Heute wurde nur noch mit barem Geld gezahlt.

Lachend und oft erinnerte sich ihr Vater an manche älteren Herrschaften, denen es zu mühsam war, an die Tür zu kommen. Sie stellten sich ans Fenster und ließen ein Seil zu ihm herab, an dessen Ende ein mit Haaren gefülltes Körbchen hing. Der *Papa* schickte einen kurzen Gruß zu ihnen hoch, nahm die Haarbüschel in Empfang und legte das entsprechende Geld in den Korb, der auf demselben Weg flink wieder zum Fenster hin verschwand.

Giulia weiß noch genau, wie es sich anhörte: das Lachen ihres Vaters, wenn er davon erzählte.

So fuhren sie von Haus zu Haus, klingelten, kamen ins Geschäft, verabschiedeten sich und zogen weiter. *Arrivederci!* Bei den Friseursalons war die Ausbeute größer, Giulia liebte das Leuchten in den Augen ihres Vaters, wenn er einen Zopf aus langen, selten schönen und wertvollen Haaren in die Hände bekam. Bedächtig wog er die Pracht, nahm Maß, prüfte Beschaffenheit und Dichte der Haare. Rasch ging er danach wieder zur Tagesordnung über, zahlte, bedankte sich, und gemeinsam schwangen sie sich auf seinen Motorroller. Allein in Palermo hatte die Lanfredi-Werkstatt ein Netzwerk von hundert Lieferanten zu betreuen. Sie mussten sich also beeilen, wenn sie pünktlich zum Mittagessen daheim sein wollten.

Für einen Augenblick ist das Bild noch lebendig. Giulia mit neun auf der Vespa.

Die folgenden Sekunden erlebt sie nur undeutlich und verschwommen, als wenn es der Wirklichkeit Mühe machte, dem Traum ein Ende zu setzen, beides scheint ineinanderzufließen.

Es ist also wahr. Der *Papa* ist am Tag zuvor auf seiner üblichen Runde bei den Lieferanten verunglückt. Aus unerfindlichen Gründen ist er mit seiner Vespa von der Straße abgekommen. Dabei kennt er den Weg in- und auswendig, Hunderte Male ist er ihn gefahren. Vielleicht ist plötzlich ein Tier über die Fahrbahn gelaufen, haben die Feuerwehrleute gemutmaßt, oder er hatte einen Aussetzer. Niemand weiß es. Jetzt liegt er im Krankenhaus Francesco Saverio und schwebt zwischen Leben und Tod. Die Ärzte wollen sich nicht festlegen. Man muss sich auf das Schlimmste gefasst machen, haben sie der *Mamma* gesagt.

Doch Giulia ist nicht bereit, sich das Schlimmste auszumalen. Ein Vater stirbt nicht, ein Vater ist ewig, er ist ein Fels, eine Säule, vor allem für sie. Pietro Lanfredi ist eine Naturgewalt, der wird hundert, sagte sein Freund Doktor Signore immer, wenn er mit ihm einen Grappa kippte. Pietro, der Lebenskünstler, der Genießer, der *Papa*, Liebhaber guter Weine, der Patriarch, der *Padrone*, der Choleriker, der Leidenschaftliche, er, ihr Vater, ihr geliebter Vater, er darf nicht einfach sterben. Nicht jetzt. Nicht so.

Heute ist das Fest der heiligen Rosalia. Was für eine Ironie des Schicksals, denkt Giulia. Wie jedes Jahr steht die Stadt wieder ganz im Zeichen des *Festinu*. Laut jubelnd defilieren die *Palermitani* zu Ehren ihrer Schutzpatronin durch die Straßen. Ihr Vater hat seinen Mitarbeiterinnen wie immer zwei Tage freigegeben, damit sie an den Festlichkeiten teilnehmen können – an der Prozession entlang des Corso Vittorio Emanuele und später, bei Einbruch der Nacht, am Feuerwerk auf dem Foro Italico.

Giulia ist nicht nach Feiern zumute. Sie versucht, die Ausgelassenheit der Menschen auf der Straße zu ignorieren, während sie mit ihrer Mutter und ihren Schwestern am Krankenbett ihres Vaters sitzt. Wie er so ruhig daliegt, hat man nicht den Eindruck, dass er leidet – zumindest das ist ihr ein Trost. Sein einst kräftiger Körper wirkt mit einem Mal zerbrechlich, schmächtig wie der eines Kindes. Er sieht kleiner als zuvor aus, findet sie, als wäre er eingelaufen. Vielleicht passiert genau das, wenn man die Seele aushaucht … Sie verscheucht diesen düsteren Gedanken sofort. Ihr Vater ist da. Er lebt noch. Daran muss man sich festhalten. Eine *Gehirnerschütterung*, meinen die Ärzte. Was so viel bedeutet wie: Man weiß gar nichts. Niemand kann sagen, ob er überleben oder sterben wird. Auch er selbst scheint bisher unentschieden zu sein.

Wir müssen beten, beschließt die *Mamma*. Am Morgen hat sie Giulia und ihre Schwestern aufgefordert, sie zur Prozession der heiligen Rosalia zu begleiten. Die Jungfrau mit dem Rosenkranz, behauptet sie, bewirke Wunder, das habe sie in der Vergangenheit bewiesen, als sie die Stadt von der Pest befreite. Wir müssen sie um Hilfe anrufen. Giulia hat nichts für den religiösen Eifer ihrer Mutter übrig, genauso wenig wie für Menschenmengen, die außer Rand und Band geraten. Außerdem glaubt sie nicht an all das. Natürlich ist sie getauft worden und zur Kommunion gegangen – sie erinnert sich gut daran, wie sie in ihrem blütenweißen Kleid unter den frommen und strengen Blicken der versammelten Familie zum ersten Mal das Sakrament der Eucharistie empfing. Eine Erinnerung, die zu ihren schönsten zählt. Aber heute hat sie keine Lust zu beten. Sie möchte in der Nähe ihres *Papa* bleiben.

Doch ihre Mutter besteht darauf, dass sie mitkommt. Wenn die Ärzte nicht imstande sind, etwas auszurichten, kann nur Gott persönlich ihn retten. Sie wirkt so überzeugt davon, dass Giulia sie plötzlich um ihren Glauben beneidet, um dieses naive Gottvertrauen, das sie niemals verlassen hat. Ihre

Mutter ist der frommste Mensch, den sie kennt. Jede Woche besucht sie die auf Latein abgehaltene Messe, auch wenn sie nichts oder nur sehr wenig versteht – *man muss nicht verstehen, um Gott zu huldigen*, pflegt sie zu sagen. Schließlich gibt Giulia nach.

Zwischen der Kathedrale und den Quattro Canti schließen sie sich gemeinsam der Prozession der Santa-Rosalia-Verehrer an. Ein Menschenmeer drängt sich hinter der riesigen Heiligenstatue, die man zu Ehren der Jungfrau ehrfurchtsvoll durch die Stadt trägt. Es herrscht eine drückende Hitze, in diesem Juli ist es so heiß in Palermo wie lange nicht. Giulia bekommt fast keine Luft mehr. Sie hat Ohrensausen, spürt, wie ihr Blick sich trübt.

Als ihre Mutter stehenbleibt, um eine Nachbarin zu begrüßen, die sich besorgt nach dem Befinden des *Papa* erkundigt – die Nachricht hat sich schnell im Viertel herumgesprochen –, nutzt Giulia die Gunst der Stunde und schert aus dem festlichen Tross aus. Sie flüchtet sich in eine schattige Seitenstraße, erfrischt sich an einem Brunnen, allmählich wird die Luft wieder erträglich. Als sie sich gesammelt hat, vernimmt sie ganz in der Nähe Stimmen. Sie gehören zwei *Carabinieri*, die einen dunkelhäutigen

Mann anherrschen. Der Mann ist kräftig und trägt einen schwarzen Turban, die Uniformierten wollen, dass er ihn abnimmt. Der Mann protestiert in einem einwandfreien Italienisch, das nur leicht von einem ausländischen Akzent gefärbt ist: Er halte sich rechtmäßig im Land auf, sagt er und zeigt seine Papiere, aber die Polizisten bleiben stur. Wütend drohen sie ihm, ihn mit auf die Wache zu nehmen, wenn er ihrem Befehl nicht Folge leiste. Gut möglich, dass er eine Waffe unter seiner Kopfbedeckung verstecke, behaupten sie, an einem solchen Festtag wolle man keine böse Überraschung erleben. Doch der Mann bleibt standhaft. Sein Turban sei das Zeichen seiner Religionszugehörigkeit, er dürfe ihn in der Öffentlichkeit nicht abnehmen. Außerdem könne man ihn ja trotzdem identifizieren, schließlich trage er auch auf dem Foto in seinem Ausweis einen Turban – ein Privileg, das den Sikhs seitens der italienischen Regierung zugebilligt wurde. Giulia beobachtet die Szene mit wachsender Anspannung. Der Mann ist schön. Er hat eine athletische Figur, edle Gesichtszüge und ungewöhnlich helle Augen. Sie schätzt ihn auf dreißig, höchstens. Der Ton der *Carabinieri* wird indes schärfer, einer der beiden beginnt, den Mann zu stoßen. Am Ende packen sie ihn zu zweit und führen ihn ab.

Der Unbekannte widersetzt sich nicht. Mit einer Haltung, aus der zugleich Würde und Resignation sprechen, geht er, umrahmt von den Polizisten, an Giulia vorüber. Für einen kurzen Moment treffen sich ihre Blicke. Der Fremde sieht ihr direkt in die Augen – Giulia wendet sich nicht ab. Erst als er am Ende der Straße aus ihrem Sichtfeld verschwindet, senkt sie den Kopf.

Che fai?

Erschrocken fährt sie zusammen, hinter ihr steht Francesca.

Wir suchen dich schon überall! *Andiamo! Dai!*

Widerstrebend trottet Giulia ihrer älteren Schwester hinterher und reiht sich wieder in den Festzug ein.

Am Abend kann sie nicht einschlafen. Unentwegt muss sie an den dunkelhäutigen Mann denken. Sie fragt sich, was aus ihm geworden ist, was die Polizisten mit ihm gemacht haben. Ob sie ihn eingeschüchtert haben, gar mit Schlägen? In sein Land zurückgeschickt? Sie verfängt sich in wilden Spekulationen. Eine Frage quält sie besonders: Hätte sie eingreifen müssen? Aber was hätte sie tun können? Sie fühlt sich schuldig, weil sie tatenlos zugesehen hat. Warum beschäftigt sie das Schicksal dieses fremden Mannes so sehr? Seine Blicke haben ein seltsames Gefühl in ihr ausgelöst – ein Gefühl, das sie nicht kennt. Neugier? Anteilnahme?

Vielleicht auch etwas anderes, das sie nicht in Worte zu fassen vermag.

Sarah
Montreal, Kanada

Sarah ist umgefallen. Im Gerichtssaal, während sie gerade ein Plädoyer hielt. Sie hat plötzlich mitten im Satz abbrechen müssen, nur noch stoßweise atmend, hat sich umgesehen, als wüsste sie nicht mehr, wo sie sei. Blass und mit zitternden Händen, nichts sonst verriet ihre Unpässlichkeit, hat sie versucht, den Faden ihrer Argumentation wiederaufzunehmen. Undeutlich hat sie wahrgenommen, was um sie herum geschah, hat nach Luft gerungen, bis ihr auf einmal schwarz vor Augen wurde. Ihr Herzschlag hat sich verlangsamt, das Blut sich aus ihrem Gesicht zurückgezogen wie ein Fluss aus seinem Bett. Und schließlich ist sie in sich zusammengestürzt wie die Twin Towers des World Trade Center, die man doch für unerschütterlich gehalten hatte. Sie hat nicht protestiert, als man den Notarzt rief. Ihr Sturz ist vollkommen geräuschlos erfolgt, sie ist eingefallen wie ein Kartenhaus, beinahe anmutig.

Als Sarah die Augen aufschlägt, steht ein Mann in Feuerwehruniform über sie gebeugt.

Sie hatten einen Schwächeanfall, Madame. Wir bringen Sie jetzt ins Krankenhaus.

Der Mann hat gesagt: *Madame*. Erst allmählich kommt Sarah wieder zu sich, aber dieses Detail ist ihr nicht entgangen. Sie hasst es, wenn man sie »Madame« nennt, es fühlt sich für sie an wie eine Ohrfeige. In der Kanzlei wissen alle Bescheid: Sie möchte mit ihrem Titel, mit »Maître«, angesprochen werden, im Zweifelsfall mit »Mademoiselle«, niemals jedoch mit »Madame«. Zweimal verheiratet, zweimal geschieden, das hebt sich gegenseitig auf. Davon abgesehen findet Sarah nur schwer erträglich, was in dem Wort mitschwingt: Sie sind keine junge Frau mehr, Sie gehören jetzt in die Kategorie, die danach kommt. Nur mit Widerwillen füllt sie Formulare aus, in denen man die Altersgruppe ankreuzen muss. Die verführerische Spalte »30–39 Jahre« liegt hinter ihr, sie muss ihr Kreuzchen bei der weit weniger attraktiven Gruppe »40–49 Jahre« machen. Obwohl sie achtunddreißig und sogar neununddreißig geworden ist, hat sie die vierzig nicht kommen sehen. Sie war tatsächlich nicht darauf gefasst, dass es so schnell gehen würde. »Nach vierzig ist niemand mehr jung« – der Satz stammt von Coco Chanel. Sarah hat ihn in einer Zeitschrift gelesen, die sie sofort beiseitelegte, ohne den Satz bis zum Ende zu lesen: »Aber unwiderstehlich kann man in jedem Alter sein.«

Mademoiselle. Sarah korrigiert die Taktlosigkeit umgehend und richtet sich auf. Sie will sich erheben, aber der Feuerwehrmann hält sie mit einer sanften und zugleich autoritären Geste davon ab. Sie protestiert, erklärt, dass sie dabei war, ein Plädoyer zu halten. Ein höchst wichtiger Fall, der keinen Aufschub duldet – wie immer.

Sie haben sich am Kopf verletzt, als Sie gestürzt sind. Das muss genäht werden.

In diesem Moment kommt Inès hinzu, ihre engste Mitarbeiterin, die sie selbst eingestellt hat und die ihr bei der Bearbeitung all der Aktenberge treu zur Seite steht. Sie informiert Sarah darüber, dass die Gerichtsverhandlung vertagt wurde und dass sie gerade in der Kanzlei angerufen hat, damit man sämtliche Anschlusstermine nach hinten verschiebe – wie immer reagiert Inès schnell und kompetent, auf sie ist Verlass. Sie wirkt besorgt um ihre Chefin, bietet an, sie ins Krankenhaus zu begleiten, doch Sarah winkt ab. In der Kanzlei werde Inès dringender gebraucht, sie müssen die Vorladung für den nächsten Tag vorbereiten.

Seit geschlagenen zwei Stunden sitzt Sarah in der Notaufnahme des Universitätsklinikums von Montreal, dem *Centre hospitalier de l'université de Montréal*, kurz CHUM. *Chum*, überlegt sie, so nennt man hierzulande jemanden, mit dem man ein Liebesverhältnis hat – dabei hat dieser Ort nichts, aber auch gar nichts Anziehendes an sich. Noch während sie darüber nachdenkt, spürt Sarah, dass ihre Geduld am Ende ist. Sie steht auf und will gehen. Sie hat nicht die Absicht, länger als zwei Stunden darauf zu warten, dass man ihr mit drei Stichen eine lächerliche Platzwunde auf der Stirn näht. Ein einfaches Pflaster wird es auch tun, sie muss zurück an die Arbeit. Doch ein Arzt hält sie auf und gibt ihr deutlich zu verstehen, dass sie sich wieder setzen soll: Sie muss sich einer gründlichen Untersuchung unterziehen. Sarah erhebt Einspruch, doch ihr bleibt keine andere Wahl, als sich zu fügen.

Der Assistenzarzt, der sie endlich zu sich hereinruft, hat gepflegte, schmale Hände. Konzentriert horcht er sie ab und stellt ihr unzählige Fragen, auf die Sarah einsilbige Antworten gibt. Sie kann nicht erkennen, inwiefern das alles von Belang sein soll. Es gehe ihr gut, wiederholt sie mehrfach, aber der Arzt fährt stoisch mit seiner Untersuchung fort. Widerwillig, wie eine Verdächtige, der man ein Geständnis abringt, gibt sie schließlich zu: Ja, sie fühle sich im Augenblick ziemlich erschöpft. Ob das ein Wunder sei, wenn man Vollzeit arbeite, nebenbei drei Kinder zu versorgen habe, außerdem ein Haus in Schuss halten und täglich einen Kühlschrank füllen müsse?

Sarah sagt nicht, dass sie seit einem Monat morgens kraftlos aufwacht. Dass sie abends nach der Arbeit, wenn sie sich angehört hat, was Ron von seinem Tag mit den Kindern berichtet, vom gemeinsamen Essen, vom Zubettbringen der Zwillinge und dem Lernen mit Hannah, aufs Sofa fällt und sofort einschläft. Dass sie es nicht einmal mehr schafft, nach der Fernbedienung zu greifen, um den riesigen Fernsehbildschirm einzuschalten, den sie neulich angeschafft und bisher nicht ein einziges Mal benutzt hat.

Sie erwähnt auch nicht das Ziehen in ihrer linken Brust, das sie seit einiger Zeit spürt. Sicher nichts von Bedeutung … Sie hat keine Lust, darüber zu sprechen, nicht hier, nicht jetzt, nicht mit diesem Unbekannten in weißem Kittel, der sie so teilnahmslos ansieht. Es ist einfach nicht der richtige Moment.

Der Arzt wirkt dennoch alarmiert: Ihr Blutdruck sei niedrig, ihre Blässe besorgniserregend. Sarah spielt die Sache herunter, tut so, als ob, blufft und lenkt ab, darin ist sie ein Profi. Nicht umsonst ist sie Anwältin. Jeder kennt das Bonmot: *Wann weiß man, dass ein Anwalt lügt? Wenn seine Lippen sich bewegen.* Sie ist mit den abgefeimtesten Richtern der Stadt fertig geworden, ein junger Assistenzarzt wird sie nicht zu Fall bringen. Ein kleiner Durchhänger, mehr nicht. Vielleicht ein Burn-out? Sie lächelt, als der Begriff fällt. Ein abgedroschener Modeausdruck, ein großes Wort für einen kleinen Schwächeanfall. Sie hat am Morgen nicht genug gegessen, womöglich auch nicht ausreichend geschlafen … Und zu wenig gevögelt, hätte sie fast hinzugefügt, um das Gespräch aufzulockern und in eine andere Richtung zu lenken, aber die strenge Miene des Mediziners gebietet jedem Flirtversuch sofort Einhalt. Schade, denn er sieht eigentlich ganz gut aus, mit seiner kleinen Brille und seinen Locken passt er fast in ihr Beuteschema … Ja, sie wird diese Vitaminpillen schlucken, wenn er darauf besteht.

Lachend erwähnt sie das Geheimrezept für einen Cocktail, der einem richtig Auftrieb gibt: Kaffee, Cognac und Kokain. Sehr wirksam, er solle das unbedingt mal ausprobieren.

Der Assistenzarzt ist nicht zu Scherzen aufgelegt. Er empfiehlt ihr, sich zu schonen, eine Auszeit zu nehmen. »Einen Gang runterzuschalten«, wie er sich ausdrückt. Sarah muss lachen. Der Mann ist Arzt und hat anscheinend trotzdem Humor ... Einen Gang runterschalten? Und wie, bitte schön, soll das gehen? Soll sie die Kinder auf eBay versteigern? Oder beschließen, dass es ab sofort nichts mehr zu essen gibt? Den Mandanten sagen, dass die Kanzlei streikt? Sie hat Fälle, bei denen viel auf dem Spiel steht, die kann sie nicht aus der Hand geben. Nicht zu arbeiten ist keine Option. Eine Auszeit nehmen – was soll das überhaupt heißen? Sie kann sich kaum an ihren letzten Urlaub erinnern, war das letztes Jahr oder im Jahr davor? ... Daraufhin spricht der Arzt einen Satz aus, so hohl, dass sie ihn am liebsten gleich vergessen würde: *Jeder ist ersetzbar.* Er hat offensichtlich nicht die geringste Ahnung, was es heißt, Teilhaberin von *Johnson & Lockwood* zu sein. Was es heißt, in der Haut von Sarah Cohen zu stecken.

Sie möchte gehen, und zwar sofort. Der Assistenzarzt versucht, sie zurückzuhalten, um weitere Untersuchungen vorzunehmen, doch Sarah entzieht sich.

Dabei gehört sie nicht zu den Menschen, die anstehende Aufgaben auf den nächsten Tag verschieben. Sie war eine gute Schülerin, »sehr fleißig«, bestätigten ihre Lehrer. Sie konnte es noch nie leiden, ihre Arbeit auf den letzten Drücker zu erledigen, sie wollte lieber »vorankommen«, wie sie selbst sagte. Sie hatte es sich zur Gewohnheit gemacht, ihre Hausaufgaben zu Beginn des Wochenendes oder der Ferien fertigzustellen, damit sie sich danach freier fühlte. Auch in der Kanzlei hat sie immer eine Länge Vorsprung vor den anderen, was erheblich zu ihrem schnellen beruflichen Fortkommen beigetragen hat. Sie überlässt nichts dem Zufall, sie schaut v-o-r-a-u-s.

Aber nicht dieses Mal. Nicht jetzt.

Es ist nicht der richtige Moment.

Und so kehrt Sarah in die Welt zurück, in die Welt ihrer Termine und *conf calls*, ihrer Listen und Akten, ihrer Plädoyers, Sitzungen, Notizen und Protokolle, ihrer Geschäftsessen, Vorladungen und einstweiligen Verfügungen, ihrer drei Kinder. Wie ein tapferer kleiner Soldat geht sie wieder an die Front, setzt sich die Maske auf, die sie immer getragen hat und die ihr so gut steht: die lächelnde Frau, der alles gelingt. Die Maske ist nicht beschädigt, sie hat nicht einmal Risse. Als Sarah in der Kanzlei ankommt, beruhigt sie Inès und die anderen Kollegen: halb so wild.

Und alles wird laufen, wie gehabt.

In den Wochen, die auf den Zwischenfall folgen, steht allerdings ein Termin bei ihrer Gynäkologin auf der Agenda, die Ärztin wird Sarah abtasten, besorgt aufschauen und sagen, *ich fühle da etwas*. Dann wird sie eine Reihe von Untersuchungen mit scheußlichen Namen anordnen, die einem Angst einjagen, allein wenn man sie ausspricht: Mammographie, MRT, Computertomographie, Biopsie. Untersuchungen, die an sich schon fast eine Diagnose sind. Eine Verurteilung.

Trotzdem ist im Augenblick *einfach nicht der richtige Moment*. Sarah verlässt das Krankenhaus gegen den ausdrücklichen ärztlichen Rat.

Im Augenblick ist alles gut.

Nichts existiert, solange man nicht darüber spricht.

Der Raum ist nicht größer als ein Zimmer,
man könnte ein Bett hineinstellen, höchstens.
Und wenn, wäre es ein Kinderbett.
Hier arbeite ich, allein,
Tag für Tag, in aller Stille.

Natürlich gibt es Maschinen,
doch ihre Produkte sind grob.
Akkordarbeit – nicht hier,
wo jedes Modell ein Prototyp ist
und jedes mich mit Stolz erfüllt.

Inzwischen bewegen sich meine Hände
beinah unabhängig
von meinem Körper.
Handgriffe kann man erlernen,
Flinkheit erwirbt man im Laufe der Jahre.

So lange arbeite ich nun schon
gebeugt über meinen Rahmen,
dass meine Augen ganz schwach geworden sind.

Mein Körper ist müde,
meine Glieder sind steif vom Rheuma,
und dennoch
haben meine Finger ihre Geschicklichkeit
nicht eingebüßt.

Manchmal entrinnen meine Gedanken
diesem Atelier
und ziehen mich
in ferne Landstriche,
hin zu unbekannten Existenzen,
deren Stimmen zu mir dringen,
wie ein schwaches Echo,
und mit meinem Leben verschmelzen.

Smita

Badlapur, Uttar Pradesh, Indien

Als Smita nach Hause kommt, sticht ihr der seltsame Gesichtsausdruck ihrer Tochter sofort ins Auge.

Sie hat sich bemüht, ihre Runde so schnell wie möglich zu absolvieren, ist danach nicht, wie gewohnt, bei der Nachbarin vorbeigegangen, um ihr einen Teil der Essensreste der Jats zu überlassen. Sie ist gleich zum Brunnen geeilt, um Wasser zu holen, hat ihren Weidenkorb abgestellt und sich gewaschen – ein Eimer Wasser, nicht mehr, es muss noch etwas für Lalita und Nagarajan übrig bleiben. Jeden Abend, bevor Smita über die Schwelle der bescheidenen Familienbehausung tritt, wäscht sie sich dreimal gründlich mit Seife, auf keinen Fall möchte sie den abscheulichen Geruch, der an ihr haftet, nach Hause tragen. Ihre Tochter und ihr Mann sollen sie nicht mit diesem Gestank in Verbindung bringen. Dieser Geruch nach Kot und Exkrementen, das ist nicht sie, sie will nicht darauf reduziert werden. Und so seift sie sich kräftig ein, Hände, Füße, Körper, Gesicht, reibt so fest, dass sie sich fast die Haut vom Leib reißt hinter dem Stoffvorhang, der sie auf der Rückseite einer ärmlichen Hütte am Rande des Dörfchens Badlapur, an der äußersten Grenze Uttar Pradeshs, vor fremden Blicken schützt.

Sie trocknet sich ab, zieht saubere Kleidung an und betritt die Hütte. Lalita hockt in einer Ecke, die Knie an die Brust gezogen, den Blick starr auf den Boden gerichtet. Ihre Miene spiegelt etwas, das ihre Mutter nicht an ihr kennt, Wut und Traurigkeit lassen sich darin lesen.

Was hast du?

Ihre Tochter antwortet nicht. Ihr Mund ist fest verschlossen.

Sag schon. Erzähl es mir. Sprich!

Stumm starrt Lalita ins Leere, als wenn sie einen Punkt in der Ferne fixierte, den nur sie sehen kann. Einen Ort, weit weg von dieser Hütte und diesem Dorf, an dem niemand sie erreichen kann, nicht einmal ihre Mutter. Smita wird ungeduldig.

Nun rede endlich!

Ihre Tochter kauert sich zusammen wie eine erschreckte Schnecke, die sich in ihr Gehäuse zurückzieht. Es wäre einfach, sie zu schütteln, anzubrüllen, sie zum Sprechen zu zwingen. Aber Smita weiß: Damit wird sie nichts aus dem Kind herausbekommen. Der Schmetterling in ihrem Bauch hat sich unterdessen in einen Krebs verwandelt. Ein Gefühl von Angst schnürt Smita die Kehle zu. Was ist in der Schule geschehen? Sie selbst hat keine Ahnung, wie es dort zugeht, dennoch hat sie ihre Tochter, ihr Liebstes, hingeschickt. War das ein Fehler? Was haben sie ihr angetan?

Aufmerksam betrachtet sie die Kleine: Ihr Sari scheint am Rücken eingerissen zu sein. Ein Riss, ja, da ist ein Riss!

Was hast du gemacht? Wie siehst du nur aus! Wo hast du dich herumgetrieben?

Smita ergreift die Hand ihrer Tochter und zieht sie von der Wand fort. Tatsächlich: Der neue Sari, den sie in mühsamer Handarbeit hergestellt, für den sie nächtelang auf Schlaf verzichtet hat, damit er bloß rechtzeitig fertig werde, dieser Sari, ihr ganzer Stolz, ist dahin – dreckig, zerrissen, ruiniert.

Du hast ihn kaputtgemacht! Schau dir das an!

Smita wird laut, sie ist wütend – plötzlich aber hält
sie inne. Eine böse Ahnung überfällt sie. Hastig zerrt
sie Lalita aus dem Dunkel der Hütte ans Licht und
entkleidet sie mit energischen Handgriffen. Lalita
leistet keinerlei Widerstand, sanft gleitet der Stoff
an ihrem schmalen Körper hinunter, der Sari ist ihr
ein bisschen zu groß. Smita zuckt zusammen, als
sie auf dem Rücken der Kleinen rote Striemen entdeckt. Spuren von Schlägen. An manchen Stellen
ist die Haut aufgeplatzt und blutig. Zinnoberrot,
wie der Bindi.

Wer hat dir das angetan?! Los, sag es mir! Wer hat
dich geschlagen?

Lalita senkt den Blick, zwei Wörter kommen ihr
leise über die Lippen. Nur zwei Wörter.

Der Lehrer.

Smita steigt die Zornesröte ins Gesicht, ihre Hals-
schlagader schwillt gefährlich an – voller Angst beobachtet Lalita ihre Mutter, die doch sonst so ruhig
ist. Plötzlich packt Smita ihre Tochter und schüt-

telt sie, dass der kleine nackte Körper wie ein dürrer
Zweig zittert.

Warum? Was hast du gemacht? Warst du ungehor-
sam?

Sie gerät außer sich: Ihre Tochter aufsässig, und das
gleich am ersten Schultag! Ganz sicher wird der
Lehrer sie nicht mehr zum Unterricht zulassen, im
Nu lösen sich all ihre Hoffnungen in Luft auf, all
ihre Bemühungen sind umsonst gewesen. Sie weiß
genau, was das bedeutet: zurück zu den Latrinen,
zurück in den Dreck, zurück zur Scheiße der anderen. Wieder losziehen mit diesem verdammten
Korb, vor dem sie ihr kleines Mädchen unbedingt
bewahren wollte ... Smita hat nie jemandem Gewalt angetan, nie hat sie jemanden geschlagen, aber
in diesem Moment ergreift ein unkontrollierter
Wutanfall Besitz von ihr. Einen solchen Gefühlsaus-
bruch hat sie noch nicht erlebt, wie eine Flut stürzt
der Furor über ihr ganzes Wesen herein, überspült
den Damm der Vernunft und reißt ihn mit sich. Sie
ohrfeigt das Kind. Lalita krümmt sich unter ihren
Schlägen, hält schützend ihre kleinen Hände vor
das Gesicht.

Nagarajan kehrt gerade von den Feldern heim, als er die Schreie hört. Sofort beschleunigt er seine Schritte. Geht zwischen seine Frau und seine Tochter. *Hör auf! Smita!* Er stößt sie zurück und nimmt Lalita in den Arm. Tränen schütteln die Kleine. Als Nagarajan die Striemen auf ihrem Rücken entdeckt, drückt er sie umso fester an sich.

Sie hat sich dem Brahmanen widersetzt, schreit Smita. Nagarajan sieht zu dem Kind in seinen Armen.

Stimmt das?

Nach einem kurzen Augenblick der Stille sagt Lalita einen Satz, der ihre Eltern wie eine Ohrfeige trifft:

Er wollte, dass ich den Klassenraum kehre.

Smita erstarrt. Lalita hat sehr leise gesprochen, womöglich hat sie sich verhört.

Was hast du gesagt?!

Er wollte, dass ich vor den anderen den Klassenraum fege. Ich habe nein gesagt.

Lalita duckt sich, aus Furcht vor weiteren Schlägen. Sie wirkt schmächtiger denn je, als habe die Angst sie schrumpfen lassen. Smita stockt der Atem. Sie zieht ihre kleine Tochter an sich, umschließt sie so fest, wie die zarten Glieder des Kindes es erlauben, und beginnt zu weinen. Lalita vergräbt ihren Kopf an der Schulter der Mutter, sucht dort Geborgenheit und Frieden. Lange verharren sie so, während Nagarajan hilflos danebensteht. Es ist das erste Mal, dass er seine Frau weinen sieht. Nie hat sie, angesichts der Prüfungen, die ihnen das Leben auferlegt, ein Zeichen der Schwäche offenbart, nie ist sie vor irgendetwas zurückgewichen, sie ist eine starke, eigensinnige Frau. Aber nicht heute. So wie sie den Körper ihrer geschundenen und gedemütigten Tochter umklammert, ist sie selbst wieder ein Kind, das seine enttäuschten Hoffnungen beweint, sie betrauert ein Leben, das sie sich so sehr gewünscht hat und das sie Lalita nicht bieten kann, weil die Jats und die Brahmanen immer da sein werden, um sie daran zu erinnern, wer sie sind und woher sie kommen.

Später, nachdem sie Lalita sanft gewiegt hat und die Kleine endlich eingeschlafen ist, lässt Smita ihrer Wut freien Lauf. Warum hat der Lehrer, dieser Brahmane, das gemacht? Er war doch einverstanden damit, dass Lalita zusammen mit den anderen Kindern, den Kindern der Jats, seinen Unterricht besucht, er hat ihr Geld angenommen und gesagt: »Einverstanden«! Smita kennt den Mann und auch seine Familie, sein Haus steht im Zentrum des Dorfes. Jeden Tag reinigt sie seine Toiletten, und seine Frau gibt ihr Reis, manchmal. Warum also?

Ihr kommen plötzlich die fünf Seen in den Sinn, die Vishnu mit dem Blut der Kshatriyas füllte, als er die Brahmanen gegen sie verteidigte. Die Brahmanen sind die Gebildeten, die Priester, die Erleuchteten, sie stehen über allen anderen Kasten, an der Spitze der Menschheit. Warum behandeln sie Lalita so? Ihre Tochter stellt keine Bedrohung für sie dar, stellt weder ihr Wissen noch ihre Position infrage, warum ziehen sie ihr Mädchen so in den Dreck? Warum bringen sie ihr nicht, wie den übrigen Kindern auch, Lesen und Schreiben bei?

Den Klassenraum kehren zu müssen heißt so viel wie: Du hast kein Recht, hier zu sein. Du bist eine Dalit, eine *Scavenger*, und das wirst du bleiben, bis an dein Lebensende. Du wirst in der Scheiße sterben, wie deine Mutter, deine Großmutter und deine Urgroßmutter. Wie deine Kinder, deine Enkel und alle deine Nachkommen. Für euch Unberührbare, den Abschaum der Gesellschaft, ist kein anderes Schicksal denkbar, euch gebührt nichts weiter als der widerliche Gestank der Fäkalien, die andere Menschen hinterlassen, ihr habt keine andere Bestimmung, bis in alle Ewigkeit, als die Scheiße der ganzen Welt zu beseitigen.

Lalita hat sich dagegen aufgelehnt. Sie hat nein gesagt. Dieser Gedanke erfüllt Smita mit glühendem Stolz. Ihre kleine Tochter, gerade mal sechs Jahre alt und nur so groß wie ein Schemel, hat dem Brahmanen in die Augen gesehen und gesagt: »Nein.« Er hat sie gepackt und sie mit seinem Rohrstock verprügelt, mitten in der Klasse, vor allen anderen. Lalita ist nicht in Tränen ausgebrochen, sie hat nicht geschrien, nicht einen Laut hat sie von sich gegeben. Als es zur Mittagspause klingelte, hat der Brahmane ihr verwehrt zu essen und die Blechbüchse konfisziert, die Smita für sie vorbereitet hatte. Sie durfte sich nicht einmal zu den anderen setzen, durfte lediglich zusehen, wie sie sich satt aßen. Sie hat sich nicht beschwert, hat nicht gebettelt. Sie ist aufrecht stehengeblieben, einsam und allein. Würdig. Ja, Smita ist stolz auf ihre Tochter, sie mag Ratten essen, aber sie ist stärker als alle Brahmanen und Jats zusammen. Es ist ihnen nicht gelungen, Lalita niederzuzwingen, sie haben sie nicht gebrochen. Sie haben sie mit Schlägen traktiert und ihr Narben zugefügt, aber sie ist da, in ihren Grundfesten nicht erschüttert. Unversehrt.

Nagarajan teilt die Ansicht seiner Frau nicht: Lalita hätte sich fügen müssen, hätte den Besen in die Hand nehmen sollen, so schlimm ist es doch nicht, den Boden zu fegen, zumindest ist es weniger schmerzhaft, als mit dem Rohrstock verprügelt zu werden ... Aufgebracht fährt Smita ihn an. Wie kann er nur so reden?! Die Schule ist dazu da, den Kindern etwas beizubringen, nicht, sie zu unterdrücken. Sie wird mit dem Brahmanen sprechen, sie weiß, wo er wohnt, jeden Tag schleicht sie sich mit ihrem Weidenkorb durch die Hintertür seines Hauses, um ihn von seinem Dreck zu befreien ... Nagarajan will sie davon abhalten: Sie werde nichts gewinnen, wenn sie sich mit dem Brahmanen anlegt. Der Mann ist mächtiger als sie. Alle sind mächtiger als sie. Lalita muss die Schikanen ertragen, wenn sie weiterhin zur Schule gehen will. Das ist der Preis dafür, dass sie Lesen und Schreiben lernt. Nach diesen Gesetzen funktioniert ihre Welt nun mal, man übertritt nicht ungestraft die Grenzen seiner Kaste. Hierzulande muss man für alles bezahlen.

Bebend vor Zorn starrt Smita ihren Ehemann an: Sie wird ihr Kind dem Brahmanen nicht als Sündenbock überlassen. Wie kann er es wagen, auch nur einen Gedanken daran zu verschwenden? Er müsste Lalita verteidigen, aufbegehren, für seine Tochter gegen die ganze Welt in den Kampf ziehen – ist das nicht die Pflicht eines jeden Vaters? Smita will lieber verrecken, als Lalita wieder in die Schule zu schicken; keinen Fuß wird ihr Mädchen mehr in den verdammten Klassenraum setzen. Sie verflucht diese Gesellschaft, die ihre schwächsten Glieder unterdrückt, die Frauen und die Kinder, all diejenigen, die ihres Schutzes bedürften.

Na gut, antwortet Nagarajan. Lalita wird nicht mehr dorthin gehen. Smita wird sie am nächsten Tag mit auf ihre Runde nehmen. Sie wird ihr das Handwerk ihrer Mutter und Großmutter beibringen, wird den Korb an sie weiterreichen. So tun es die Frauen in ihrer Familie schließlich seit Jahrhunderten. Es ist ihr *Dharma*. Irrtümlicherweise hat Smita gemeint, sie könne für ihre Tochter etwas Besseres erreichen. Sie wollte von dem ihr vorbestimmten Weg abweichen, und der Brahmane hat sie mit dem Rohrstock wieder in die Spur gebracht. Die Diskussion ist beendet.

An diesem Abend kniet Smita betend vor dem kleinen Altar. Sie findet keinen Schlaf. Sie muss an Vishnu und die fünf Seen denken und fragt sich, wie viele Seen mit ihrem Blut, dem Blut der Unberührbaren, gefüllt werden müssen, um sie von ihrem tausendjährigen Joch zu erlösen. Millionen Menschen wie sie warten resigniert nur noch auf den Tod – alles werde besser in einem nächsten Leben, pflegte ihre Mutter zu sagen, es sei denn, der teuflische Kreislauf werde irgendwann durchbrochen. Ihre ganze Hoffnung richtete sich auf das *Nirwana*, das höchste aller Ziele. Am Ganges zu sterben, dem heiligen Fluss, war ihr Traum. Es heißt, dass sich der Kreis dann schließe. Nicht mehr wiedergeboren zu werden, im Absoluten aufzugehen, darin besteht die Erfüllung. Dieses Glück ist allerdings nicht jedem gegeben, seufzte die Mutter. Andere sind dazu verdammt, weiterzuleben. Man hat die Ordnung der Dinge zu akzeptieren wie eine Strafe Gottes. Die Ewigkeit muss man sich verdienen.

Und solange die Ewigkeit auf sich warten lässt, krümmen die Dalits ihr Rückgrat.

Aber nicht Smita. Nicht heute.

Ihr eigenes Schicksal nimmt sie wie eine grausame Fügung hin. Doch ihre Tochter werden sie nicht kriegen. Das hat sie sich geschworen, vor diesem Altar, der Vishnu geweiht ist, in der Mitte ihrer düsteren Hütte, wo ihr Mann bereits schläft. Nein, sie werden Lalita nicht kriegen. Es ist ein stille Revolte, kaum hörbar, kaum spürbar.

Aber sie ist da.

Giulia
Palermo, Sizilien

Er sieht aus wie Dornröschen, überlegt Giulia, während sie ihren Vater betrachtet.

Seit acht Tagen liegt er nun schon in den weißen Laken dieses Krankenhausbettes. Sein Zustand ist unverändert. Er macht einen friedlichen Eindruck, so schlafend wie eine Braut, die darauf wartet, dass man sie wachküsst. Giulia muss daran denken, wie er ihr als Kind vor dem Einschlafen *La Bella Addormentata* vorlas und dabei mit dunkler Stimme die böse Fee nachahmte. Tausendmal hatte sie das Märchen gehört, und jedes Mal war sie erleichtert gewesen, wenn die Prinzessin endlich wieder erwachte. Wie hatte sie es geliebt, wenn die tiefe Stimme ihres Vaters den dämmrigen Raum erfüllte.

Und plötzlich ist diese Stimme verstummt.

Im Augenblick umfängt den *Papa* nichts als Stille.

Der Betrieb in der Werkstatt muss unterdessen weiterlaufen. Die Arbeiterinnen bekunden, jede auf eigene Weise, ihre Anteilnahme. Gina hat ihre legendäre *Cassata* für Giulia zubereitet, Agnese Schokolade für die *Mamma* gekauft. Die *Nonna* hat angeboten, Giulia am Krankenbett des Vaters abzulösen. Alessia, deren Bruder Domherr ist, hat dafür gesorgt, dass in Santa Caterina Gebete für den *Papa* gesprochen werden. Auf die kleine Lanfredi-Gemeinschaft ist Verlass, die Frauen unternehmen alles, um dem Kummer die Stirn zu bieten. In ihrer Gegenwart gelingt es Giulia, so optimistisch zu sein, wie ihr Vater es immer gewesen ist. Er wird aus dem Koma erwachen, davon ist sie überzeugt. Er wird zurückkommen und das Ruder wieder in die Hand nehmen. Es ist nur ein kurzes Zwischenspiel, eine kleine Unterbrechung der Routine.

Sobald am Abend die Pforten der Fabrik schließen, eilt sie zu ihm ins Krankenhaus. Den Ärzten zufolge bekommen Komapatienten mit, was um sie herum gesagt wird – und so liest Giulia ihrem Vater mit bewundernswerter Ausdauer Gedichte oder Romane vor. Das hat er so oft für mich getan, denkt sie sich, jetzt bin ich am Zug. Sie weiß, dort, wo er sich gerade aufhält, hört er sie.

Am nächsten Tag sucht sie in der Mittagspause die Bibliothek auf, um neue Bücher auszuleihen, die für ihren Vater von Interesse sein könnten. Zielstrebig durchmisst sie den Lesesaal, wo die übliche konzentrierte Ruhe herrscht, bis sie zwischen den Regalreihen etwas entdeckt, das sie abrupt innehalten lässt.

Da ist er.

Der Turban.

Es ist derselbe, den sie neulich am Rande des Straßenfestes zu Ehren der heiligen Rosalia gesehen hat.

Giulia ist verblüfft. Sie kann das Gesicht, das zu der Kopfbedeckung gehört, nicht erkennen – der Mann steht mit dem Rücken zu ihr. Neugierig folgt sie ihm, als er sich zur nächsten Regalreihe bewegt. Er bleibt abermals stehen, greift nach einem Buch und dreht sich dabei ein wenig in ihre Richtung – ja, er ist es, der Mann, den die *Carabinieri* abgeführt haben … Er scheint etwas Bestimmtes zu suchen und nicht zu finden. Giulia ist aufgewühlt, er bemerkt sie offenbar nicht. Sie beobachtet ihn eine Weile.

Schließlich geht sie auf ihn zu. Ohne zu wissen, wie sie ein Gespräch mit ihm beginnen könnte – sie hat keine Übung darin, einen fremden Mann anzusprechen. Normalerweise ist sie es, die angesprochen wird. Giulia ist hübsch, das hat man ihr oft gesagt. Ihre knabenhafte Erscheinung strahlt eine Mischung aus Unschuld und Sinnlichkeit aus, die keinen Vertreter des anderen Geschlechts kaltlässt. *Die leuchtenden Augen, wenn ein Mädchen vorübergeht* – die Italiener verstehen sich auf schöne Worte, es ist immer dieselbe Leier, sie weiß genau, wohin das führt. Dennoch packt sie in diesem Moment eine erstaunliche Kühnheit.

Buongiorno.

Der Unbekannte sieht erstaunt auf. Ein fragender Blick. Zaghaft schiebt Giulia eine Erklärung hinterher.

Ich habe Sie neulich bei dem Umzug auf der Straße gesehen. Als die Polizisten ...

Sie beendet ihren Satz nicht, plötzlich schämt sie sich. Vielleicht ist es ihm unangenehm, wenn sie den Zwischenfall erwähnt? Schon bereut sie ihren Wagemut und würde am liebsten im Boden versinken. Doch in dem Augenblick nickt der Mann, jetzt erkennt er sie.

Giulia nimmt den Faden wieder auf: Ich hatte Angst ... dass man Sie ins Gefängnis steckt.

Der Fremde lächelt sanft, wenngleich ein wenig belustigt – wer ist dieses seltsame Mädchen, das so besorgt um sein Wohlergehen ist?

Sie haben mich den Nachmittag über dabehalten. Danach durfte ich gehen.

Giulia mustert ihn verstohlen. Diese unglaublich hellen Augen in seinem dunklen Gesicht. Sie sind blaugrün – oder grünblau. Die Mischung jedenfalls ist verführerisch. Sie fasst sich ein Herz.

Ich könnte Ihnen helfen, ich kenne mich hier aus. Suchen Sie etwas Bestimmtes?

Der Unbekannte erwidert, dass er ein Buch auf Italienisch suche – irgendeines, nur nicht zu kompliziert. Er spreche die Sprache zwar fließend, aber mit dem Lesen und Schreiben tue er sich noch schwer. Er wolle ein bisschen üben. Giulia nickt und führt ihn zur Abteilung der italienischen Literatur. Sie wägt kurz ab – die zeitgenössischen Autoren sind möglicherweise nicht so leicht zugänglich. Schließlich empfiehlt sie ihm einen Roman von Emilio Salgari, den sie als Kind gern gelesen hat: *I figli dell'aria* – »Die Kinder der Luft«, ihr Lieblingswerk des Autors. Der Fremde nimmt das Buch und bedankt sich höflich. Jeder Sizilianer hätte wahrscheinlich versucht, sie in eine längere Unterhaltung zu verwickeln. Hätte die Gelegenheit beim Schopf ergriffen, um mit ihr zu flirten. Er hingegen verabschiedet sich und kehrt an seinen Platz zurück.

Giulias Herz zieht sich zusammen, als sie ihn später mit dem Buch zum Ausgang hin verschwinden sieht. Sie ärgert sich, dass sie ihn nicht aufgehalten hat. Aber so etwas macht man hier nicht. Man läuft nicht einem Mann hinterher, den man gerade erst kennengelernt hat. Sie hasst es, diese junge Frau zu sein, die den Ereignissen seit jeher tatenlos zusieht, die sich nicht traut, in den Lauf der Dinge einzugreifen, um ihnen eine andere Richtung zu geben. In diesem Augenblick verflucht sie ihre mangelnde Courage und ihre Passivität.

Natürlich hat sie Freunde gehabt, Flirts, ein paar Geschichten. Es hat Küsse gegeben, heimliche Zärtlichkeiten. Giulia hat es geschehen lassen, hat sich damit begnügt, auf die Aufmerksamkeit einzugehen, die andere ihr entgegenbrachten. Sie selbst hat sich nie die Mühe gemacht, jemandem zu gefallen.

Auf dem Rückweg zur Werkstatt kann sie an nichts anderes denken als an den Unbekannten, der mit seinem Turban wie aus der Zeit gefallen scheint. An sein Haar, das sich darunter verbirgt. An seinen Körper unter dem zerknautschten Hemd. Allein die Vorstellung lässt ihr das Blut in den Kopf steigen.

In der heimlichen Hoffnung, ihn wiederzusehen, leiht sie sich gleich am folgenden Tag weitere Bücher aus. Dabei hat sie dem *Papa* längst noch nicht alles vorgelesen, was sie bisher an sein Krankenbett geschleppt hat. Als sie den großen Saal der Bibliothek betritt, erstarrt sie: Da ist er. Genau da, wo er tags zuvor gestanden hat. Er sieht sie an, als habe er sie erwartet. Giulia spürt, wie ihr Herz einen Sprung macht.

Er kommt auf sie zu, tritt so nah an sie heran, dass sie seinen warmen Atem spürt. Er möchte sich bei ihr für die Lektüre bedanken, die sie ihm empfohlen hat. Da er nicht wusste, womit er ihr seinerseits eine Freude bereiten könnte, hat er ihr eine Flasche Olivenöl aus der Kooperative mitgebracht, für die er arbeitet. Giulia muss schlucken. Die Sanftmut dieses Mannes, gepaart mit seinem Stolz, bringt sie völlig aus der Fassung. Es ist das erste Mal, dass ein Mann sie so verunsichert.

Gerührt nimmt sie das Fläschchen entgegen. Er habe die Oliven eigenhändig gepflückt und gepresst, sagt er. Als er sich zum Gehen wendet, wagt Giulia sich vor. Mit feuerroten Wangen fragt sie ihn, ob er sie nicht zur Hafenmole begleiten wolle. Das Meer sei ganz nah, das Wetter so schön …

Nach kurzem Zögern nimmt der Unbekannte die Einladung an.

Kamaljit Singh, so lautet sein Name, ist nicht gerade mitteilsam. Eine Tatsache, die Giulia überrascht, denn sie ist umringt von geschwätzigen Kerlen, die sich selbst gern reden hören. Die Rolle der Frau besteht darin, den Mann glänzen zu lassen, so hat ihre Mutter es ihr beigebracht. Kamal jedoch ist anders. Er lässt sich nicht leicht in die Karten schauen. Giulia aber erzählt er seine Geschichte.

Er ist ein Anhänger der Sikh-Religion, mit zwanzig musste er aus der Kaschmir-Region fliehen, um der Gewalt zu entkommen, mit der man seinesgleichen verfolgte. Seit den Ereignissen von 1984, als die indische Armee die Forderungen der Separatisten blutig unterdrückte, indem sie Gläubige vor dem Goldenen Tempel niedermetzelte, fürchten die

Sikhs dort um ihr Leben. Kamal schlug sich nach Sizilien durch, mutterseelenallein erreichte er die Insel in einer eisigen Nacht; viele Eltern schicken ihre Kinder, sobald sie volljährig sind, in den Westen. Er fand Zuflucht in der einflussreichen Sikh-Gemeinde vor Ort – nach England sei Italien das Land in Europa, das die meisten Sikhs aufnehme. Über das *Caporalato*-System wurde er als billige Arbeitskraft weitervermittelt. Tonlos berichtet Kamal, wie die *Caporali* die illegalen Einwanderer anwerben und zu ihrem Einsatzort bringen. Um die Kosten für den Transport zu decken, streichen sie für eine Flasche Wasser und das kümmerliche *Panino*, das sie ihnen aushändigen, einen Teil ihres Lohns ein, manchmal gar die Hälfte. Für ein oder zwei Euro pro Stunde haben sie ihn auf den Plantagen schuften lassen – er hat damals alles geerntet, was auf der Insel angebaut wird: Zitronen, Oliven, Kirschtomaten, Orangen, Artischocken, Zucchini, Mandeln ... Die Arbeitsbedingungen waren nicht verhandelbar. Was ein *Caporale* anbietet, akzeptiert man, oder man lässt es bleiben.

Kamals Durchhaltevermögen wurde schließlich belohnt: Nach drei Jahren, die er illegal im Land verbrachte, sprach man ihm den Status eines Flüchtlings zu und gewährte ihm einen dauerhaften

Aufenthaltstitel. Er trat einen Job als Nachtarbeiter in einer Kooperative an, die Olivenöl herstellt. Dort ist er immer noch beschäftigt, die Arbeit gefällt ihm. Er erklärt Giulia, wie er die Olivenbaumzweige mit einer Art Rechen durchkämmt, um die Früchte unbeschadet zu pflücken. Er mag es, sich zwischen den alten, bisweilen tausendjährigen Bäumen zu bewegen. Ihre Langlebigkeit fasziniert ihn. Die Olive ist ein edles Nahrungsmittel, sagt er lächelnd, ein Symbol des Friedens.

Obwohl die Behörden seinen Aufenthalt legalisiert haben, heißt das Land ihn deswegen nicht herzlicher willkommen. Die sizilianische Gesellschaft hält Abstand zu den Einwanderern, es existieren zwei Welten auf der Insel, die keinerlei Verbindung miteinander pflegen. Kamal gesteht, dass seine Heimat ihm fehlt. Als er das sagt, umhüllt ihn plötzlich ein Schleier der Traurigkeit wie ein langer wehender Mantel.

An diesem Tag kehrt Giulia mit zwei Stunden Verspätung an ihren Arbeitsplatz zurück. Die *Nonna* hat sich bereits Sorgen gemacht, zu ihrer Beruhigung behauptet Giulia, sie habe einen Platten gehabt.

Doch das ist nicht die Wahrheit: Ihr Fahrrad ist völlig intakt, es ist ihr Herz, das ins Schlingern geraten ist.

Sarah
Montreal, Kanada

Die Bombe ist hochgegangen. Sie ist soeben in dem Untersuchungszimmer des etwas linkischen Arztes explodiert, der nicht weiß, wie er die schlechte Neuigkeit verpacken soll. Dabei hat er Erfahrung, er blickt auf viele Jahre als praktizierender Mediziner zurück, aber an Situationen wie diese kann er sich einfach nicht gewöhnen. Er hat zweifellos zu viel Mitgefühl mit seinen Patientinnen, all diesen jungen und weniger jungen Frauen, deren Leben binnen weniger Sekunden, kaum, dass er das gefürchtete Wort ausspricht, ins Wanken gerät.

BRCA2. So lautet der Fachbegriff für das mutierte Gen. Es ist der Fluch der aschkenasischen Jüdinnen. Als wenn es mit den Pogromen und der Shoah nicht genug wäre, denkt Sarah. Warum trifft es schon wieder sie und ihresgleichen? Laut Statistik erkrankt eine von vierzig aschkenasischen Frauen an Brustkrebs, während, bezogen auf die Weltbevölkerung, lediglich ein Risiko von 1:500 besteht. Das ist wissenschaftlich nachgewiesen. Hinzu kommen erschwerende Faktoren wie etwa die Krebserkrankung eines direkten Verwandten oder eine Zwillingsgeburt ... Alle Vorzeichen waren also gegeben, sie lagen deutlich auf der Hand. Doch Sarah hat sie nicht gesehen. Oder sie nicht sehen wollen.

Sie starrt den Arzt an, klammert sich an den Anblick seiner dichten schwarzen Augenbrauen. Er ist dabei, ihr zu erklären, was man auf den Röntgenaufnahmen erkennt, der Tumor ist etwa so groß wie eine Mandarine, sagt er, doch Sarah kann sich nicht auf seine Worte konzentrieren. Das Einzige, was sie in diesem Augenblick wahrnimmt, sind seine struppigen Augenbrauen, die ihr wie ein mit wilden Tieren besiedeltes Terrain vorkommen, und die Haare, die ihm aus den Ohren ragen. Als Sarah sich Monate später wieder an diesen Tag erinnert, sind es Details wie diese, die ihr als Erstes einfallen: die Augenbrauen des Arztes, der ihr verkündet, dass sie Krebs hat. Natürlich verwendet er nicht dieses Wort, niemand spricht es laut aus, man muss es erraten hinter umständlichen Umschreibungen und dem Fachjargon, den man darüberstülpt. Als wenn es sich um eine Beleidigung oder ein Tabu handelte. Und genau das ist es auch.

So groß wie eine Mandarine, hat er gesagt. Deutlich sichtbar. Ein unleugbarer Fakt. Dabei hat Sarah alles getan, um diese Wahrheit so lange wie möglich zu verdrängen. Sie ist über das Ziehen in ihrer Brust und ihre extreme Müdigkeit hinweggegangen, hat jeden Gedanken daran verscheucht, sobald er nur aufkam und sie ihn hätte formulieren können – müssen? –, nun hat sie sich der Tatsache zu stellen. Ein unleugbarer Fakt.

Eine Mandarine, denkt Sarah, ist riesengroß und zugleich lächerlich klein. Sie fühlt sich überrumpelt, die Krankheit hat sie in einem Moment erwischt, da sie am wenigsten damit rechnete. Der Tumor ist bösartig, heimtückisch, perfide hat er seinen Schlag im Verborgenen vorbereitet.

Sarah hört, was der Arzt sagt, sie beobachtet, wie seine Lippen sich beim Sprechen bewegen, aber seine Worte dringen nicht zu ihr durch, als wäre sie in eine dicke Schicht Watte gehüllt, als beträfe sie das alles im Grunde nicht. Ginge es um einen ihr nahestehenden Menschen, wäre sie krank vor Sorge, sie hätte panische Angst, würde zusammenbrechen. Seltsamerweise empfindet sie in Bezug auf sich selbst nichts dergleichen. Sie nimmt die Worte des Arztes auf, als glaubte sie nicht daran oder als wäre die Rede von einer Fremden.

Am Ende des Gesprächs erkundigt er sich, ob sie noch Fragen habe. Sarah schüttelt den Kopf und zeigt ihr übliches Lächeln, ein Lächeln, das bedeutet: *Keine Bange, ich komme schon klar.* Ein Manöver, das über ihren Kummer, ihre Verzweiflung und ihre Ängste hinwegtäuschen soll – über das Chaos, das innerlich über sie hereinbricht. Nichts davon lässt sie sich anmerken. Sarahs Lächeln ist glatt, anmutig, perfekt.

Sie fragt den Arzt nicht, wie groß ihre Chance auf eine Heilung ist, sie weigert sich, ihre Zukunft an einer Statistik zu messen. Manche wollen es unbedingt wissen, sie will es nicht. Sie will sich nicht von Zahlen und Wahrscheinlichkeiten einnehmen lassen, will nicht, dass ihr Bewusstsein und ihre Gedanken davon bestimmt werden, sie könnten wuchern wie der Tumor selbst und ihre Gemütsverfassung, ihre Zuversicht, ihre Genesung untergraben.

Während der Taxifahrt zur Kanzlei macht sie eine kurze Bestandsaufnahme der Situation. Sie ist eine Kämpfernatur. Sie wird in die Offensive gehen. Sarah Cohen wird diese Angelegenheit regeln, wie sie alle anderen auch geregelt hat. Sie hat noch nie (zumindest sehr selten) einen Fall verloren, und sie wird sich nicht von einer Mandarine ins Bockshorn jagen lassen, so bösartig sie auch sein mag. In der Sache »Sarah Cohen gegen M.«, dieses Kürzel wird sie ab sofort für den Tumor verwenden, ist mit Angriffen und Gegenangriffen zu rechnen, ohne Zweifel wird es dabei auch unter die Gürtellinie gehen. Die gegnerische Partei wird sich nicht so leicht geschlagen geben, dessen ist Sarah sich bewusst, die Mandarine ist mit Sicherheit der hinterhältigste und durchtriebenste Widersacher, mit dem sie es bisher aufnehmen musste. Es wird ein langwieriger Prozess werden, ein Nervenkrieg, Momente der Hoffnung werden sich mit Momenten tiefer Verzweiflung abwechseln, vielleicht wird sie sich zwischendurch sogar besiegt fühlen. Aber sie muss durchhalten, koste es, was es wolle. Einen solchen Kampf gewinnt man nur mit Ausdauer, das weiß Sarah.

Als würde sie sich in einen kniffligen Fall einarbeiten, skizziert sie in Gedanken die groben Züge ihrer Angriffsstrategie gegen die Krankheit. Sie wird kein Wort sagen. Zu niemandem. Keiner ihrer Kollegen darf davon erfahren. Die Nachricht würde in ihrem Team wie eine Bombe einschlagen, schlimmer noch wären die Verheerungen auf Seiten ihrer Mandanten. Sie würden sich unnötigerweise Sorgen machen. Sarah ist eine der tragenden Säulen der Kanzlei, sie muss stabil bleiben, um nicht das ganze Gebäude in eine Schieflage zu bringen. Außerdem hat sie keine Lust auf Mitleidsbekundungen. Sie ist zwar krank, aber es besteht kein Grund, dass sie deswegen ihr Leben umkrempelt. Sie muss sich nur gut organisieren, damit niemand Verdacht schöpft, daran denken, ihre Krankenhaustermine verschlüsselt in den Terminkalender einzutragen, sich gute Gründe ausdenken, um ihre Abwesenheiten zu rechtfertigen. Sie muss erfinderisch, systematisch und raffiniert vorgehen. Wie die Heldin in einem Spionageroman wird Sarah im Geheimen einen Krieg führen. Wie bei einer außerehelichen Affäre wird sie die Anonymität ihrer Krankheit wahren. Sie hat nicht umsonst jahrelange Erfahrung darin, wesentliche Teile ihres Lebens voneinander fernzuhalten. Sie wird weiter an der Mauer bauen, die ihr Privates vom Beruflichen trennt, sie höherziehen, immer höher. Immerhin hat sie es geschafft, ihre Schwangerschaften zu verstecken, dasselbe sollte ihr auch mit dem Krebs gelingen. Sie wird ihn von nun an als ihr heimliches Kind betrachten, ihren unehelichen Sohn, von dessen Existenz niemand etwas ahnt. Unerhört, also unsichtbar.

Mit diesen Vorsätzen erreicht Sarah die Kanzlei, knüpft scheinbar nahtlos an ihren Arbeitsalltag an. Aus den Augenwinkeln beobachtet sie ihre Kollegen, lauert auf verstohlene Blicke in ihre Richtung, auf die geringste Veränderung im Klang ihrer Stimmen. Erleichtert stellt sie fest, dass offenbar keiner etwas bemerkt hat. Das böse Wort »Krebs« steht ihr demnach nicht auf die Stirn geschrieben, niemand kann sehen, dass sie krank ist.

Niemand ahnt, dass sie innerlich in tausend Stücke zerbricht.

Smita
Badlapur, Uttar Pradesh, Indien

Fortgehen.

Dieser Gedanke hat sich Smita aufgedrängt wie eine Weisung des Himmels. Sie müssen das Dorf verlassen.

Lalita wird den Unterricht keinesfalls wieder besuchen. Der Lehrer hat sie geschlagen, als sie sich weigerte, vor den Augen ihrer Kameraden den Klassenraum zu kehren. Später werden diese Kinder Landbesitzer sein und verlangen, dass sie ihre Toiletten reinigt. Ausgeschlossen. Das wird Smita nicht zulassen. Sie hat noch den Satz im Ohr, mit dem der Arzt im Gesundheitsamt des benachbarten Dorfes Gandhi zitierte: »Niemand soll mit seinen bloßen Händen menschliche Exkremente entsorgen müssen.« Anscheinend hatte der Mahatma den Status der Unberührbaren für illegal erklärt, als nicht vereinbar mit der Verfassung und den Menschenrechten, geändert hat sich seither allerdings nichts. Die meisten Dalits fügen sich in ihr Schicksal, ohne zu protestieren. Andere sind zum Buddhismus übergetreten, um dem Kastensystem zu entrinnen, wie zum Beispiel Babasaheb, der spirituelle Meister der Dalits. Smita hat von den großen Zeremonien gehört, die er abhielt – zu Tausenden sind sie dorthin geströmt, um zu konvertieren. In der Folge wurden Antikonversionsgesetze erlassen, um derartige Massenbewegungen, die unweigerlich einen Machtverlust der Verwaltungsbehörden bedeuten, in Schach zu halten. Inzwischen benötigen Konversionswillige die offizielle Genehmigung für ihr Vorhaben, ansonsten droht ihnen eine juristische Verfolgung. Die Ironie des Ganzen ist kaum zu übersehen: Ebenso gut könnte man seinen Kerkermeister um die Erlaubnis zur Flucht bitten.

Smita kann sich nicht zu einem solchen Schritt durchringen. Zu sehr fühlt sie sich den Göttern verbunden, denen schon ihre Eltern huldigten. Mehr als an alles andere glaubt Smita daran, dass Vishnu seine schützende Hand über sie hält. Seit sie denken kann, betet sie zu ihm, am Morgen wie am Abend, ihm vertraut sie ihre Träume, ihre Zweifel und ihre Hoffnungen an. Ihm abzuschwören wäre ein zu großes Opfer, seine Abwesenheit würde eine Leere in ihr hervorrufen, die sie unmöglich wieder füllen könnte. Sie würde sich verwaist fühlen, verlassener noch als beim Tod ihrer Eltern. Hingegen hält kaum etwas sie in diesem Dorf, in dem sie aufgewachsen ist. Nichts hat dieser besudelte Boden ihr geschenkt, den sie tagtäglich vom Dreck befreien muss, nichts außer den mageren Ratten, die Nagarajan abends wie traurige Trophäen nach Hause trägt.

Fortgehen, diesen Ort weit hinter sich lassen. Es ist der einzige Ausweg.

Am Morgen weckt sie Nagarajan. Er hat tief geschlafen, während sie die ganze Nacht kein Auge zutun konnte. Sie beneidet ihren Mann um seinen friedlichen Schlaf; nachts liegt er da wie ein ruhiger See, dessen glatte Oberfläche sich durch nichts kräuseln lässt. Sie dagegen wälzt sich rastlos hin und her, die Dunkelheit vermag sie nicht von ihren Seelenqualen zu erlösen, im Gegenteil, sie verstärkt das Leid nur, wirft es wie ein grausames Echo immer wieder zurück. In der Nacht erscheint ihr alles dramatisch und hoffnungslos, oft fleht sie ihren Gott an, der zehrende Gedankenstrudel möge endlich ein Ende haben. Und wie immer, wenn sie mit weit geöffneten Augen bis zum Morgen ausgeharrt hat, denkt sie, dass die Menschen vor dem Schlaf nicht alle gleich sind. Die Menschen sind vor gar nichts alle gleich.

Nagarajan wacht brummend auf. Smita scheucht ihn hoch. Sie hat es sich gründlich überlegt: Sie müssen das Dorf verlassen. Sie beide haben nichts mehr zu erwarten in diesem Leben, das ihnen alles genommen hat. Aber für Lalita ist es noch nicht zu spät, ihr Leben beginnt gerade erst. Sie hat alles, solange die anderen es ihr nicht nehmen. Und das wird Smita zu verhindern wissen.

Meine Frau redet wirr, denkt Nagarajan, sie hat offenbar wieder eine schlaflose Nacht verbracht. Smita beschwört ihn: Wir müssen in die Stadt ziehen. Man sagt, dass es dort an den Schulen und Universitäten Plätze für Dalits gibt. Plätze für Leute wie sie. Lalita würde endlich ihre Chance bekommen. Nagarajan schüttelt den Kopf, die Stadt ist eine Illusion, ein Hirngespinst. Die Dalits leben dort auf der Straße, sie drängen sich auf den Bürgersteigen oder in den Elendsvierteln, die an den Rändern der Ballungsgebiete wuchern wie Warzen an einem Fuß. Hier haben sie wenigstens ein Dach über dem Kopf und etwas zu essen. Smita lodert vor

Zorn: Hier müssen sie Ratten fressen und Scheiße aufsammeln. Dort könnten sie eine richtige Arbeit finden und in Würde leben. Sie ist bereit, die Herausforderung anzunehmen, sie ist furchtlos und zäh, sie wird jeden Job machen, den man ihr anbietet, alles, wenn sie nur dieses Leben hinter sich lassen darf. Sie fleht Nagarajan an. Tu es für mich. Für uns. Für Lalita.

Nagarajan ist nun vollständig wach. Ist sie von allen guten Geistern verlassen?! Glaubt sie, dass sie einfach so über ihr Leben verfügen kann? Er ruft ihr den schrecklichen Zwischenfall ins Gedächtnis, der das Dorf vor nicht allzu langer Zeit in große Unruhe versetzt hat. Die Nachbarstochter, eine Dalit wie Smita, hatte beschlossen fortzugehen, sie wollte in der Stadt studieren. Die Jats erwischten sie jedoch auf ihrer Flucht durchs Land, zerrten sie auf einen entlegenen Acker und vergewaltigten sie zwei Tage lang zu acht Mann. Sie konnte kaum mehr laufen, als sie wieder zu Hause auftauchte. Die Eltern erstatteten Anzeige beim Panchayat, dem Verwaltungsrat des Dorfes. Natürlich ist der Rat fest in der Hand der Jats, es sind, anders als vorgeschrieben, weder eine Frau noch ein Dalit vertreten. Jede Entscheidung, die der Panchayat trifft, ist Gesetz,

selbst wenn sie der indischen Verfassung zuwider-
läuft. Eine Form von Paralleljustiz, die niemand
in Frage stellt. Der Verwaltungsrat bot der Familie
ein paar Scheine als Entschädigung an und forderte
als Gegenleistung, dass die Anzeige zurückgezogen werde – die junge Frau lehnte das Schandgeld
ab. Ihr Vater bestärkte sie zunächst darin, bis er
dem Druck der Gemeinde nicht mehr standhalten
konnte und Selbstmord beging. Die Familie blieb
völlig mittellos zurück, seine Frau sah sich auf den
entsetzlichen Status einer Witwe degradiert. Man
verbannte sie und ihre Kinder aus dem Dorf, nötigte
sie, ihr Haus abzutreten. Sie krepierten elendig in
einem Graben am Straßenrand.

Smita kennt die Geschichte. Nagarajan muss sie
nicht daran erinnern. Sie weiß, dass Vergewalti-
gungsopfer hierzulande immer als die Schuldigen
gelten. Frauen genießen keinerlei Respekt, umso
weniger, wenn sie als unberührbar gelten. Diese
Kreaturen, mit denen man nicht in Kontakt kommen, ja die man nicht einmal ansehen darf – man
vergewaltigt sie völlig ohne Scham. Einen Mann,
der seine Schulden nicht begleicht, straft man, indem man sich an seiner Frau vergeht. Einen Mann,
der einer verheirateten Frau nachsteigt, straft man,

indem man seine Schwestern missbraucht. Die Vergewaltigung ist eine äußerst wirkungsvolle Waffe, eine Massenvernichtungswaffe. Manche nennen es auch eine Seuche. Erst neulich hat der Verwaltungsrat eines anderen Dorfes von sich reden gemacht: Man verurteilte zwei junge Frauen dazu, sich auf einem öffentlichen Platz zu entkleiden und vergewaltigen zu lassen – sie sollten auf die Weise für das Verbrechen ihres Bruders büßen, der mit einer verheirateten Frau einer höheren Kaste angebändelt hatte. Das Urteil wurde vollstreckt.

Nagarajan versucht, Smita zur Vernunft zu bringen: Wenn sie fortgehen, sind ihnen Vergeltungsmaßnahmen sicher. Man wird Lalita dafür bezahlen lassen. Das Leben eines Kindes ist nicht mehr wert als ihres, Smitas Leben. Man wird sie, Mutter und Tochter, vergewaltigen, sie werden aufgeknüpft an einem Baum enden, wie die beiden jungen Dalit-Frauen aus dem Nachbardorf, vergangenen Monat. Smita kennt die schaurige Zahl: Jedes Jahr werden in Indien zwei Millionen Frauen ermordet. Zwei Millionen Opfer männlicher Barbarei – und alle Welt schaut gleichgültig zu. Es ist der Welt völlig egal. Die Welt überlässt diese Frauen einfach ihrem Schicksal.

Wer glaubt sie zu sein, angesichts dieser Lawine aus Hass und Gewalt? Denkt sie wirklich, sie könne ihr entkommen? Hält sie sich für stärker als die anderen?

Die Argumente, so erschreckend sie sind, kommen gegen Smitas Beharrlichkeit nicht an. Sie müssen fortgehen, bei Nacht. Sie wird ihren Aufbruch heimlich vorbereiten. Ihr erstes Ziel wird Varanasi sein, die heilige Stadt ist etwa hundert Kilometer entfernt, von dort fährt ein Zug quer durch Indien bis Chennai, wo Cousins ihrer Mutter leben, sie werden ihnen helfen. Chennai liegt am Meer, es heißt, dass ein Mann dort eine Fischergemeinschaft nur für *Scavengers* gegründet hat. Außerdem gibt es vor Ort Schulen für Dalit-Kinder. Lalita wird Lesen und Schreiben lernen. Nagarajan und sie werden eine Arbeit finden. Sie werden keine Ratten mehr essen müssen.

Nagarajan starrt Smita ungläubig an: Von welchem Geld sollen sie die Reise bezahlen? Die Zugtickets sind teurer als alles, was sie besitzen. Ihre mageren Ersparnisse haben sie dem Brahmanen überlassen, damit Lalita die Schule besuchen kann, es ist nichts übrig. Smita senkt die Stimme: Sie ist erschöpft nach vielen schlaflosen Nächten, aber seltsamerweise fühlt sie sich in diesem Moment stärker denn je. Dann müssen sie sich das Geld eben zurückholen. Sie weiß, wo es sich befindet. Sie hat einmal beobachtet, als sie zum Kloputzen im Haus des Brahmanen war, wie seine Frau ein paar Scheine in der Küche verstaute. Smita geht jeden Tag dorthin, sie muss nur einen günstigen Augenblick abpassen … Nagarajan gerät außer sich: Welcher *Asura*, welcher böse Geist, ist nur in sie gefahren? Ihr haarsträubendes Vorhaben wird sie alle in den Tod reißen, sie und ihre gesamte Familie! Lieber jagt er sein Leben lang Ratten und lässt sich anschreien, als ihre absurden Pläne zu unterstützen! Wenn Smita sich erwischen lässt, werden sie alle untergehen, und zwar auf die denkbar schlimmste Weise. Ihr Spiel mit dem Feuer ist die Kerze nicht wert. Es gibt keine Hoffnung für sie, weder in Chennai noch anderswo. Zumindest nicht in diesem Leben. Wenn sie sich entsprechend verhalten, dürfen sie mit mehr Milde im nächsten Leben rechnen – im Stillen träumt Nagarajan davon, als Ratte wiedergeboren zu werden. Nicht als eine dieser struppigen, ausgehungerten Ratten, die er mit bloßen Händen auf den Feldern erlegt und abends grillt, sondern als heilige Ratte, wie sie im Tempel von Deshnoke, nahe der pakistanischen Grenze, anzutreffen sind, wohin sein Vater

ihn als Kind einmal mitgenommen hat: Zwanzig-
tausend Wanderratten gibt es dort. Sie werden wie
Götter verehrt, von der Bevölkerung beschützt und
mit Milch gefüttert. Der Priester hat die Aufgabe,
über das Wohl der Tiere zu wachen, von überall
strömen die Menschen mit Opfergaben herbei. Nagarajan muss an die Geschichte der Göttin Karminata denken, die sein Vater ihm damals erzählte:
Karminata hatte ein Kind verloren und darum ge-
fleht, dass man es ihr wiederbringe – was auch geschah, allerdings kehrte es in Gestalt einer Ratte
zurück. Der Tempel von Deshnoke wurde zu Ehren dieses verlorenen Sohnes errichtet. Nagarajan
bringt den Nagetieren, die er Tag für Tag auf den
Feldern jagt, inzwischen eine gewisse Achtung entgegen, sie sind ihm seltsam vertraut geworden, er
fühlt sich beinah wie ein Racheengel, der allmählich Respekt für den Gauner entwickelt, den er sein
Leben lang verfolgen muss. Am Ende, sagt Nagarajan sich, ergeht es diesen Viechern nicht anders
als mir: Sie haben Hunger und wollen überleben.
Ja, es wäre schön, als Ratte im Tempel von Deshnoke wiedergeboren zu werden und sein Leben
mit dem Trinken von Milch zu verbringen. Nach
einem langen Tag auf den Feldern spendet ihm
diese Vorstellung Trost, sie hilft ihm einzuschla-

fen. Ein eigenartiger Trost, mag sein, aber ein hilf-
reicher.

Smita dagegen ist nicht bereit, auf das nächste Leben zu warten, sie will dieses Leben gestalten, jetzt,
für sich selbst und für Lalita. Sie führt das Beispiel
Kumari Mayawatis ins Feld, einer Dalit, die es an
die Spitze des Staates geschafft hat, sie gilt heute als
die reichste Frau des Landes. Eine Unberührbare als
Regierungschefin! Man erzählt sich, dass sie sich
im Helikopter von Ort zu Ort bringen lässt. Sie hat
sich nicht den Gegebenheiten unterworfen, sie hat
nicht darauf gewartet, dass der Tod sie von ihrem
Los im Hier und Jetzt befreit, sie hat gekämpft, für
sich selbst und für sie alle. Allmählich verliert Nagarajan seine Beherrschung, Smita sehe doch, dass
sich trotzdem nichts geändert habe. Diese Frau,
schäumt er, die angeblich so heldinnenhaft für die
Belange der Dalits eingetreten ist, schert sich heute
keinen Deut mehr darum. Sie hat die Ihren im Stich
gelassen. Während sie sich in die Lüfte erhebt, kriechen die anderen weiter in der Scheiße, so sieht die
Wahrheit aus! Niemand wird Smita und ihn hier
herausholen, aus diesem Leben, diesem *Karma*,
weder Mayawati noch jemand anders, nur der Tod
wird sie davon erlösen. Bis es so weit ist, werden

sie hierbleiben, in diesem Dorf, in dem sie geboren sind und ihr bisheriges Leben verbracht haben. Mit diesen Worten, scharf wie eine Machete, verlässt Nagarajan die Hütte.

Also gut, denkt Smita. Wenn du nicht mitkommen willst, werde ich eben ohne dich fortgehen.

Giulia
Palermo, Sizilien

Blut und Stimme hat jetzt
jedes lebende Ding,
Erde und Himmel sind
ein starkes Erschauern,
von Hoffnung gequält,
vom Morgen aufgewühlt,
dein Schritt geht darüber,
dein Atem aus Morgenröte.
Blut des Frühlings,
die Erde bewegt
von uraltem Zittern.

Kamal und Giulia sehen sich nun beinah jeden Tag. Sie treffen sich mittags in der Bibliothek, oft gehen sie dann am Meer spazieren. Der Mann weckt Giulias Neugier, er ist so anders als alle Männer, die sie je kennengelernt hat – er sieht weder aus wie ein Sizilianer noch verhält er sich so, und vielleicht ist es genau das, was sie reizt. Die Männer in ihrem Umfeld reden zu viel, sind autoritär, cholerisch und aufsässig. Kamal ist das exakte Gegenteil.

Sie weiß nie, ob sie ihn tatsächlich antreffen wird. Jeden Mittag, wenn sie den Lesesaal betritt, schweift ihr Blick suchend durch den Raum. Manchmal entdeckt sie ihn sofort. An anderen Tagen taucht er nicht auf. Diese Unberechenbarkeit fasziniert Giulia und macht ihn umso attraktiver für sie. Nachts wacht sie mit einem Kribbeln im Bauch auf, ein ungewohntes, sonderbares Gefühl. Wieder und wieder liest sie die Gedichte Paveses, sie sind das einzig wirksame Mittel gegen ihre Sehnsucht.

Und eines Mittags, auf einem ihrer Spaziergänge entlang der Küste, passiert es. Giulia führt Kamal an einen Strand, an den sich kein Tourist verirrt. Sie möchte ihm die Stelle zeigen, wohin sie sich manchmal zum Lesen zurückzieht. Niemand kennt die Grotte, sagt sie – und möchte gern daran glauben.

Die Bucht ist menschenleer, die Felsenhöhle gut geschützt vor den Blicken der restlichen Welt. Wortlos lässt Giulia ihr Sommerkleid zu ihren Füßen hinabgleiten. Kamal erstarrt, er sieht sie an wie eine Blume, die man nicht pflücken möchte, aus

Angst, man könnte sie zerdrücken. Giulia streckt ihm ihre Hand entgegen, eine Geste, die mehr als eine Einladung ist: Sie ist eine Aufforderung. Sehr langsam bindet Kamal seinen Turban auf und löst den Kamm, der seine Haare zusammenhält, wie ein Wollknäuel spulen sie sich ab, hinunter bis auf seine Hüften. Giulia bebt vor Erregung. Noch nie hat sie einen Mann mit so langen Haaren gesehen – hier tragen nur die Frauen sie so. Kamal hat indes nichts Weibliches an sich, er wirkt, im Gegenteil, unglaublich männlich mit seiner kohlrabenschwarzen Mähne. Sehr sanft küsst er Giulia, als küsste er die Füße einer Götterstatue, er wagt kaum, sie zu berühren.

Nie hat Giulia etwas Vergleichbares erlebt. Kamal schläft mit ihr, wie andere beten, mit geschlossenen Augen, als hinge sein Leben davon ab. Seine Hände sind rau von der Arbeit, sein Körper jedoch ist geschmeidig, sie erschauert unter seinen Zärtlichkeiten, es ist, als streichelte sie ein weicher Pinsel.

Noch lange danach bleiben sie eng umschlungen liegen. In der Werkstatt amüsieren sich die Arbeiterinnen immer darüber, dass die Männer nach der Liebe gleich einschlafen – Kamal zählt nicht dazu. Er hält Giulia fest im Arm, wie einen Schatz, von dem er sich nicht mehr trennen will. Sie könnte ewig in dieser Position verharren, ihr glühender Körper an seinen geschmiegt, seine seidige, dunkle Haut auf ihrer hellen.

Die Grotte am Meer wird ihr neuer Treffpunkt. Da Kamal nachts in der Kooperative arbeitet und Giulia tagsüber in der Fabrik, sehen sie sich zur Mittagszeit. Ihre Umarmungen atmen den Duft gestohlener Augenblicke. Während ganz Sizilien zu dieser Stunde arbeitet, sich geschäftig in Büros, Banken oder auf Märkten ans Werk macht, lieben sie sich. Diese Momente gehören ihnen allein, und sie nutzen sie ausgiebig, indem sie ihre Schönheitsflecke zählen und ein Verzeichnis der Spuren erstellen, die das Leben auf ihrer Haut hinterlassen hat, sie erkunden einander mit allen Sinnen. Mittags liebt man sich anders als in der Nacht, es hat etwas Verwegenes und auch Schonungsloses, den Körper des anderen im Tageslicht zu entdecken.

Auf diese Weise zusammenzufinden ist für Giulia wie der Tarantellatanz: Man begegnet sich, berührt sich, löst sich wieder voneinander – der Tanzschritt ihrer Beziehung folgt dem Rhythmus ihrer Arbeitszeiten, am Tag, in der Nacht. Eine ebenso frustrierende wie romantische zeitliche Verschiebung.

Kamal ist ein rätselhafter Mann. Giulia weiß nichts über ihn, zumindest sehr wenig. Mit keiner Silbe erwähnt er sein früheres Leben, das Leben, das er hinter sich lassen musste, um auf dieser Insel ein neues zu beginnen. Wenn er das Wellenspiel des Meeres betrachtet, verliert sich sein Blick manchmal in der Ferne. In solchen Momenten umweht ihn wieder dieser Mantel der Traurigkeit, umhüllt ihn ganz und gar. Für Giulia bedeutet Wasser Leben, ein Quell der Freude, der sich unablässig wandelt und erneuert, eine Form von Sinnlichkeit. Sie liebt es, zu schwimmen, zu spüren, wie ihr Körper durch das kühle Nass gleitet. Als sie Kamal eines Tages ins Wasser locken will, weigert er sich hartnäckig. *Das Meer ist ein Friedhof*, sagt er, und Giulia wagt nicht, nachzuhaken. Sie weiß nicht, was er erlebt hat, was das Wasser ihm genommen hat. Eines Tages wird er es ihr vielleicht erzählen. Oder auch nicht.

Sie sprechen nie über die Zukunft oder die Vergangenheit. Giulia erwartet nichts von ihm, nichts außer diese gemeinsamen Stunden am Mittag. Was zählt, ist der Augenblick. Der Moment, da ihre Körper sich umschlingen, eins werden, wie zwei Puzzleteile, die sich perfekt ineinanderfügen.

Wenn Kamal auch nie über sich selbst spricht, so erzählt er doch gern von seiner Heimat. Giulia könnte ihm stundenlang zuhören. Wie ein Buch entführt er sie in angenehm fremde Gefilde. Sie schließt die Augen und hat das Gefühl, ein Boot zu besteigen, auf dem sie der einzige Passagier ist. Kamal lässt die Berge von Kaschmir vor ihr erstehen, die Ufer des Flusses Jhelam, den Dal-See und seine Hotelboote, das Rot der Bäume im Herbst, die üppigen Gärten, die blühenden Tulpenfelder, die sich endlos bis zum Fuß des Himalaja erstrecken. Er soll nicht aufhören, ihr seine Welt zu beschreiben, Giulia will mehr wissen, erzähl mir mehr, fordert sie ihn auf, erzähl weiter. Kamal spricht von seiner Religion, von seinen Glaubensüberzeugungen, dem *Rehat Maryada*, dem Verhaltenskodex für alle Sikhs, der ihnen verbietet, sich Haare und Bart zu stutzen, zu trinken, zu rauchen, Fleisch zu essen oder sich dem Glücksspiel hinzugeben. Er spricht von seinem Gott, der eine tugendhafte Lebensführung preist, dem einzigen Gott und Schöpfer, der weder Christ noch Hindu, sondern konfessionslos ist, der EINHEIT bedeutet. Die Sikhs glauben, dass alle Religionen dorthin führen, weswegen man jedem mit Respekt begegnen muss. Giulia gefällt, dass sein Glaube ohne die Vorstellung von Sündenfall, Paradies und Hölle auskommt – das gibt es nur in dieser Welt, meint Kamal, und sie findet, dass er recht hat.

Die Sikh-Religion, erklärt er ihr, besagt, dass die Frau dieselben Seeleneigenschaften wie der Mann hat. Sie macht keinen Unterschied zwischen den Geschlechtern. Frauen dürfen im Tempel aus dem heiligen Buch der Sikhs zitieren, sie dürfen Gottesdienste abhalten und Taufen durchführen. Für ihre Rolle in der Familie und in der Gesellschaft gebührt ihnen Respekt und Ehre. Ein Sikh soll die Frau eines anderen wie seine Schwester oder seine Mutter ansehen, die Tochter eines anderen wie seine eigene. Zum Zeichen der Gleichberechtigung tragen Männer und Frauen gleichlautende Vornamen. Nur am Nachnamen lässt sich das Geschlecht ablesen: Die Männer heißen *Singh*, was »Löwe« bedeutet, die Frauen *Kaur*, was sich mit »Prinzessin« übersetzen lässt.

Principessa.

Giulia mag es, wenn Kamal sie so nennt. Es fällt ihr zunehmend schwer, sich von ihm zu trennen und zur Arbeit zurückzukehren. Sie wünscht, sie könnte ganze Tage an seiner Seite verbringen. Tage, und auch Nächte. Sie könnte ihr ganzes Leben damit verbringen, ihn zu lieben und ihm zuzuhören.

Aber sie weiß, dass sie eigentlich nicht hier sein

sollte. Kamal hat nicht dieselbe Hautfarbe, er betet nicht zu demselben Gott wie die Lanfredis. Sie stellt sich vor, was ihre Mutter wohl sagen würde: Ein Mann mit so dunkler Haut, und er ist nicht mal Christ! Sie wäre gekränkt. Die Neuigkeit würde sich schnell im Viertel herumsprechen.

Also liebt Giulia Kamal im Verborgenen. Ihr Abenteuer ist geheim, eine illegale Romanze.

Sie kehrt jedes Mal ein wenig später aus der Mittagspause zur Arbeit zurück. Die *Nonna* beginnt etwas zu ahnen. Sie hat Giulias Lächeln bemerkt, den neuen Glanz in ihren Augen. Giulia behauptet, sie ginge in die Bibliothek, kommt aber immer völlig außer Atem und mit roten Wangen wieder. Einmal glaubte die *Nonna* sogar Sand in ihrem Tuch und ihrem Haar zu entdecken ... Die Arbeiterinnen beginnen zu tuscheln: Hat sie einen Liebhaber? Ein Junge aus dem Viertel? Ist er jünger als sie? Oder älter? Giulia streitet alles ab, mit einer Vehemenz, die fast schon ein Geständnis ist.

Armer Gino, seufzt Alda, es wird ihm das Herz brechen! Alle wissen, dass Gino Battagliola, der Inhaber des Friseursalons im Viertel, verrückt nach ihr ist. Seit Jahren macht er ihr den Hof. Mindestens einmal in der Woche taucht er in der Fabrik auf, um die abgeschnittenen Haare seiner Kunden abzuliefern; manchmal kommt er auch ohne erkennbaren Grund vorbei, nur um Giulia guten Tag zu sagen. Die Arbeiterinnen amüsieren sich über seine Hartnäckigkeit und die Geschenke, die er der Tochter des Chefs jedes Mal überreicht – vergeblich. Giulia nimmt die Gaben ungerührt entgegen. Doch Gino lässt sich nicht beirren, unermüdlich ist er zur Stelle, beladen mit köstlichen Feigen-*Buccellatini*, die sich allgemeiner Beliebtheit erfreuen.

Wenn Giulia ihrem Vater abends am Krankenbett etwas vorliest, überkommt sie manchmal ein schlechtes Gewissen, weil sie sich so lebendig fühlt inmitten der Tragödie. Ihr Körper ist wach, frohlockt und erschauert vor Lust wie noch nie, während ihr Vater um sein Leben kämpft. Aber sie muss sich daran festhalten, um nicht zu verzweifeln. Kamals Haut zu spüren ist Balsam für ihre Seele, ein Heilmittel gegen ihren Kummer. Sie wäre am liebsten nur noch dieser Körper, der sich hingibt, das erotische Vergnügen schenkt ihr die Kraft, durchzuhalten. Sie schwankt zwischen extremen Gefühlen, mal ist sie niedergeschlagen, mal völlig aufgekratzt. Sie kommt sich vor wie ein Seiltänzer, der bei jedem Windstoß ins Taumeln gerät. Manchmal, sagt sie sich, rückt das Leben die finstersten und die lichtesten Momente nah zusammen. Es nimmt und gibt gleichzeitig.

Am nächsten Tag bittet die *Mamma* sie um einen Gefallen, sie soll ein Dokument im Büro ihres Vaters suchen. Das Krankenhaus verlange ein unauffindbares Papier, *Dio mio*, klagt die Mutter, *es ist alles so kompliziert*. Giulia traut sich nicht, ihr die Bitte abzuschlagen. Obwohl sie nicht die geringste Lust hat, sich der Aufgabe anzunehmen. Seit dem Unfall hat sie keinen Fuß mehr in das Büro gesetzt. Sie will nicht, dass irgendwer die Dinge ihres Vaters anrührt. Wenn er aus dem Koma erwacht, soll er alles vorfinden, wie er es verlassen hat. Damit er weiß, dass alle auf ihn gewartet haben.

Sie stößt die Tür zum ehemaligen Vorführraum auf und bleibt eine Weile unentschlossen auf der Schwelle stehen. An der Wand hängt ein gerahmtes Foto ihres Vaters Pietro, daneben zeigen zwei weitere Aufnahmen ihren Großvater und ihren Urgroßvater – drei Lanfredi-Generationen, die nacheinander die Spitze des Familienbetriebs einnahmen. Darunter sind mit Reißzwecken einige andere Bilder befestigt: Francesca als Baby, Giulia auf der Vespa, Adela am Tag ihrer Erstkommunion, die

Mamma mit verkrampftem Lächeln im Brautkleid. Auch der Papst ist vertreten, nicht Franziskus, sondern der allseits so verehrte Johannes Paul II.

Nichts hat sich seit dem Morgen des Unfalls verändert. Giulia betrachtet den Sessel, die Ordner, den selbstgetöpferten Aschenbecher, den sie ihrem Vater als Kind geschenkt hat. Der Ort wirkt wie seines Wesens beraubt und gleichzeitig seltsam bewohnt. Auf dem Schreibtisch liegt der Terminkalender, aufgeschlagen auf der Seite des unglückseligen 14. Juli. Giulia fühlt sich außerstande, sie umzublättern. Als wenn ihr Vater sie plötzlich aus dieser Moleskine-Agenda heraus anblickte, als wenn er sich zwischen den niedergeschriebenen Zeilen oder hinter dem Tintenklecks am unteren Rand versteckte. Giulia glaubt, ihn überall wahrzunehmen, in jedem Luftpartikel und jedem Atom des Mobiliars.

Kurz ist sie versucht, kehrtzumachen und die Tür wieder zu schließen. Doch sie rührt sich nicht vom Fleck. Sie hat der *Mamma* versprochen, das Dokument zu suchen. Mit vorsichtigen Schritten nähert sie sich dem Schreibtisch und zieht die oberste Schublade hervor, dann die nächste. Verwundert stellt sie fest, dass die dritte verschlossen ist. Ein ungutes Gefühl beschleicht sie. Der *Papa* hat doch nichts zu verbergen, bei den Lanfredis hat man keine Geheimnisse ... Wieso also ist diese Schublade verschlossen?

Tausend Fragen schießen Giulia durch den Kopf. Die Phantasie geht mit ihr durch wie ein wildgewordenes Pferd im Galopp. Hat ihr Vater eine Geliebte? Führt er ein Doppelleben? Sollte die *Piovra* ihn mit ihren Tentakeln umschlungen haben? Aber auf so etwas lässt man sich bei den Lanfredis doch nicht ein. Warum quälen Giulia plötzlich diese Zweifel, woher rührt diese böse Vorahnung, die wie eine düstere Wolke am Horizont aufzieht?

Sie muss nicht lange suchen, bis sie den Schlüssel in der Zigarrenkiste findet, die ihre Mutter dem *Papa* geschenkt hat. Giulia fröstelt: Hat sie das Recht dazu? Noch könnte sie es sich anders überlegen ...

Mit zitternder Hand dreht sie den Schlüssel, das Schloss schnappt auf: In der Schublade befindet sich ein Bündel Papiere. Giulia nimmt es an sich.

Und dann gibt der Boden unter ihren Füßen nach.

Sarah
Montreal, Kanada

Anfangs ging Sarahs Plan auf.

Sie hat zwei Wochen Urlaub für die Operation genommen. Der Arzt hatte insistiert, es seien drei nötig – eine Woche im Krankenhaus, danach zwei Wochen Bettruhe zu Hause. Letztere hat sie kurzerhand auf eine reduziert. Sie kann nicht länger freinehmen, ohne dass jemand in der Kanzlei Verdacht schöpft. Sie ist seit zwei Jahren nicht in Urlaub gefahren, die Kinder haben Schule, und wer verreist schon drei Wochen im November, in einer Zeit, in der die Gerichtstermine so sicher eintreffen, wie der Schnee vom Himmel fällt?

Sie hat niemanden informiert, weder im Büro noch zu Hause. Ihren Kindern hat sie erzählt, sie müsse sich einem *Eingriff* unterziehen, *nichts Schlimmes*, es bestehe kein Grund zur Sorge. Mit den Vätern ist sie übereingekommen, dass sie in diesen vierzehn Tagen einspringen, die Zwillinge sind bei dem einen, Hannah bei dem anderen untergebracht. Ihre Tochter hat protestiert, sich am Ende aber murrend in ihr Schicksal gefügt. Und nein, sie können sie leider nicht in der Klinik besuchen, Kinder seien dort nicht zugelassen – eine Notlüge, mit der Sarah den Stich, den sie in ihrem Herzen spürt, ein wenig lindern will. Sie möchte ihre Kinder vor diesem Ort bewahren, vor dieser weißen Hölle mit ihren scharfen Gerüchen – mehr als alles andere bereiten Sarah die Gerüche im Krankenhaus Übelkeit, diese Mischung aus Desinfektionsmitteln und Chlor dreht ihr den Magen um. Sie will nicht, dass ihre Kinder sie so sehen, verletzlich und schwach.

Gerade Hannah ist überaus sensibel. Der kleinste Luftzug schüttelt sie wie ein Blatt im Sturm. Schon früh hat Sarah bei ihrer Tochter eine starke Neigung zur Empathie festgestellt. Sie schwingt im Gleichklang mit dem Leid der ganzen Welt, nimmt es in sich auf, als wäre es ihr eigenes. Es ist wie eine Gabe, ein sechster Sinn. Als Kind weinte sie, wenn ein anderes sich verletzte oder ausgeschimpft wurde. Bei Reportagen im Fernsehen oder bei Zeichentrickfilmen kamen ihr regelmäßig die Tränen. Manchmal fragt Sarah sich besorgt: Wohin wird Hannah ihre übersteigerte Empfindsamkeit führen, die sie zu den größten Freuden, aber auch zu allen Schmerzen befähigt? Sie würde ihr so gern sagen: Schütz dich besser, mein Kind, leg dir einen Panzer zu, in der Welt da draußen weht ein rauer Wind, das Leben kann grausam sein, lass nicht alles so nah an dich heran, es wird dich kaputtmachen, sei wie die anderen, egoistischer, dickfelliger, unerschütterlicher.

Sei wie ich.

Aber ihre Tochter ist nun einmal sehr zart besaitet, darauf muss sie sich als Mutter in dieser Situation einstellen. Das heißt, sie kann ihr keinen reinen Wein einschenken. Mit ihren zwölf Jahren würde Hannah die Tragweite der Diagnose »Krebs« sofort erfassen. Sie würde begreifen, dass der Kampf lange nicht gewonnen sein wird. Sarah möchte sie nicht mit der Angst belasten, die diese Krankheit automatisch auslöst.

Natürlich wird sie nicht ewig lügen können. Die Kinder werden ihr irgendwann Fragen stellen. Dann muss sie ihnen Rede und Antwort stehen, es ihnen erklären. Je später, desto besser, glaubt Sarah. Aber aufgeschoben ist ja nicht aufgehoben, was spielt der Zeitpunkt schon für eine Rolle. Es ist ihre Art, die Dinge in den Griff zu bekommen.

Auch ihrem Vater und ihrem Bruder sagt sie

nichts. Ihre Mutter ist zwanzig Jahre zuvor an derselben Krankheit gestorben, sie will ihnen den unerbittlichen Verlauf nicht noch einmal zumuten, diese emotionale Achterbahn zwischen Hoffnung, Verzweiflung, Remission, Rezidiv, sie weiß nur zu gut, was es bedeutet. Nein, sie wird diesen Kampf allein führen, und stillschweigend. Sie hält sich für stark genug, es durchzustehen.

In der Kanzlei erweckt niemand den Anschein, etwas bemerkt zu haben. Nur Inès hat fallenlassen, dass sie müde aussehe – Sie sind blass, meinte sie, als Sarah aus dem »Urlaub« zurückkehrte. Glücklicherweise ist Winter, man kann seinen Körper gut unter mehreren Kleidungsschichten – Bluse, Pulli, Mantel – verstecken. Sarah achtet darauf, keine Oberteile mit Ausschnitt zu tragen, schminkt sich ein bisschen stärker als gewohnt, damit ist die Sache erledigt. Außerdem hat sie ein ziemlich ausgeklügeltes Verschlüsselungssystem für ihren Terminkalender entwickelt: Wenn sie ins Krankenhaus muss, steht dort »Treffen mit H.«, Blutabnahmen und Bestrahlungen vermerkt sie mit »Mittagessen B.«, und so weiter. Ihre Mitarbeiter sollen ruhig glauben, dass sie einen Liebhaber hat. Der Gedanke gefällt ihr sogar ausgesprochen gut. Manchmal ertappt sie sich selbst bei der Vorstellung, sie wäre mit einem Mann in der Mittagspause verabredet ... Einem Einzelgänger, der in einer Stadt am Meer lebt ... Es wäre so schön ... An dieser Stelle brechen ihre Tagträumereien ab, sie kommt unweigerlich auf das Krankenhaus zurück, die Untersuchungen, die Behandlungen. Unter den Junioranwälten machen die zu erwartenden Spekulationen bald die Runde: *Sie hat schon wieder einen Auswärtstermin ... Gestern Nachmittag war sie auch unterwegs ... Und dann schaltet sie ihr Handy aus ...* Hat Sarah Cohen etwa ein Leben außerhalb der Kanzlei? Wer ist der Mann, den sie morgens, mittags, manchmal auch nachmittags trifft? Ein Kollege? Einer der Gesellschafter? Inès glaubt, dass sie eine Affäre mit einem verheirateten Mann hat, ein anderer stellt die These auf, dass es um eine Frau geht. Wozu sonst die ganzen Vorsichtsmaßnahmen? Unterdessen setzt Sarah ihr Kommen und Gehen unbeirrt fort. Ihr Plan scheint aufzugehen.

Zumindest für den Augenblick.

Ein banales Detail wird ihr schließlich zum Verhängnis, wie es auch oft im Kriminalroman eine Nebensächlichkeit ist, die den Mörder entlarvt.

Inès' Mutter ist krank. Sarah hätte es wissen

müssen. Bei genauerem Nachdenken fällt es ihr wieder ein. Sie hat es ihr gesagt, damals, im letzten Jahr. Sarah hatte ihr tiefes Bedauern zum Ausdruck gebracht und es dann wieder vergessen, die Information ist in den Windungen ihres vollausgelasteten Hirns verlorengegangen. Wer könnte es ihr zum Vorwurf machen, sie muss an so vieles denken. Wenn sie sich allerdings die Zeit genommen hätte, ab und zu an der Kaffeemaschine haltzumachen, durch die Flure zu laufen oder sich mit Kollegen zum Mittagessen zu verabreden – was sie niemals tut –, wäre ihr die Sache in Erinnerung geblieben. Aber ihr Austausch mit den anderen beschränkt sich auf das Allernötigste, auf strikt berufliche Dinge. Nicht aus Hochmut oder Verachtung, sondern aus chronischem Mangel an Zeit und Verfügbarkeit. Sarah gibt nichts von ihrem Privatleben preis und mischt sich nicht in das der anderen ein. Jeder hat seine Intimsphäre. In einem anderen Kontext, einem anderen Leben, hätte sie möglicherweise engere Bande zu ihren Kollegen geknüpft, vielleicht wäre sie mit einigen sogar befreundet. Aber im Hier und Jetzt gibt es nur Raum für die Arbeit. Sarah pflegt einen höflichen Umgang mit ihren Mitarbeitern, vertraut ist er jedoch nie.

Inès ist ihr sehr ähnlich. Sie offenbart sich niemandem, schüttet keinem ihr Herz aus. Eine Eigenschaft, die Sarah sehr zu schätzen weiß. Sie erkennt in Inès die junge Anwältin wieder, die sie selbst einmal war. Als sie und ihre Partner seinerzeit juristischen Nachwuchs suchten, fiel Sarahs Wahl im Anschluss an die Einstellungsgespräche eindeutig aus – zu Recht: Inès ist scharfsinnig, fleißig und äußerst leistungsfähig. Sie ist die Beste in ihrem Team. Sie werde es weit bringen, prophezeite Sarah ihr eines Tages, *wenn sie ihre Möglichkeiten zu nutzen wisse.*

Wie hätte Sarah unter diesen Umständen ahnen können, dass Inès ihre Mutter zu einer Untersuchung ins Krankenhaus begleitete, noch dazu ausgerechnet an diesem Tag?

In ihren Terminkalender hat Sarah »Treffen mit H« notiert. H ist kein Mann, H steht weder für Henry aus der Buchhaltung noch für Herbert, den schönen jungen Kollegen aus dem anderen Team, der dem berühmten amerikanischen Schauspieler zum Verwechseln ähnlich sieht. Nein, H steht für Doktor Haddad, den Onkologen, bei dem Sarah in Behandlung ist und der leider gar nichts Glamouröses an sich hat.

Erst letzte Woche ist Inès mit der höchst seltenen Bitte um einen freien Tag auf sie zugekommen, den Sarah ihr mit einem kurzen Nicken genehmigte. Sie hat die Information zur Kenntnis genommen und gleich wieder ausgeblendet – es passiert neuerdings häufiger, dass ihr Dinge entfallen, sicher ist ihre Erschöpfung der Grund dafür.

Und nun begegnen sie sich hier, im Wartezimmer der Onkologie der Uniklinik. Auf ihren Gesichtern ist dieselbe Überraschung zu lesen. Sarah ist sprachlos. Um die Verlegenheit auf beiden Seiten zu überspielen, stellt Inès Sarah ihre Mutter vor.

Sarah Cohen, Teilhaberin der Kanzlei, für die ich arbeite, und meine Vorgesetzte.

Sehr erfreut, Sie kennenzulernen, Madame.

Sarah ist höflich, sie lässt sich ihren inneren Aufruhr nicht anmerken. Dennoch braucht Inès nicht lange, um zu durchschauen, was ihre Chefin mit Röntgenaufnahmen unter dem Arm hier, auf dem Flur der onkologischen Abteilung, mitten an einem Wochentag zu suchen hat. Binnen Sekunden stürzt alles in sich zusammen: das vermeintliche Verhältnis mit einem verheirateten Mann, die galanten

Mittagessen, die heimlichen Schäferstündchen, die fünf bis sieben Liebhaber. Sarah ist aufgeflogen.

Um das Gesicht zu wahren, behauptet sie ein wenig hilflos, sie habe sich im Raum geirrt, sie sei hier, um eine Freundin zu besuchen. Doch Inès lässt sich nicht täuschen, blitzschnell fügt sie das Puzzle zusammen: Sarahs zweiwöchige Abwesenheit im vergangenen Monat, die alle Kollegen überrascht hat, ihre ungewöhnlich vielen Auswärtstermine in letzter Zeit, ihr blasser Teint, ihre Magerkeit, ihr Zusammenbruch im Gerichtssaal – in diesem neuen Licht betrachtet, erscheinen alle Indizien wie Beweisstücke.

Sarah würde gern auf der Stelle im Boden versinken, sich in Luft auflösen, davonfliegen wie die Superhelden mit den magischen Kräften, für die ihre Zwillinge so schwärmen.

Sie kommt sich plötzlich völlig idiotisch vor, wie sie so zitternd ihrer jungen Mitarbeiterin gegenübersteht, als hätte man sie auf frischer Tat ertappt. Sie hat Krebs, das ist kein Verbrechen. Außerdem muss sie sich vor Inès nicht rechtfertigen, sie ist ihr nichts schuldig, weder ihr noch sonst jemandem.

Um dem unbehaglichen Schweigen ein Ende zu setzen, verabschiedet sich Sarah von Mutter und Tochter und stolziert mit scheinbar festen Schritten davon. Auf dem Weg zum Taxistand treibt eine Frage sie um: Was wird Inès mit ihrem Wissen anfangen? Wird sie es verbreiten? Kurz überlegt Sarah, umzukehren und sie zu bitten, niemanden etwas zu erzählen. Doch sie verbietet es sich. Damit würde sie sich verwundbar zeigen und Inès Macht über sie geben.

Sie entscheidet sich für eine andere Strategie: Gleich morgen, sobald sie im Büro ist, wird sie Inès zu sich bitten und sie um Unterstützung in der Sache Bilgouvar bitten, einem brandheißen Fall, in den der wichtigste Mandant der Kanzlei verwickelt ist. Ein unverhofftes Angebot, das zweifellos einer Beförderung gleichkommt – Inès wird es nicht ausschlagen können. Sie wird sich geschmeichelt und Sarah gegenüber verpflichtet fühlen. Und was noch schwerer wiegt: Sie wird auf Sarahs Wohlwollen angewiesen sein. Ein geschickter Zug, glaubt Sarah, um sich das Schweigen ihrer Mitarbeiterin zu erkaufen und sich ihrer Loyalität zu versichern. Inès ist ehrgeizig, sie wird begreifen, dass sie kein Interesse daran haben kann, Dinge auszuplaudern und sich damit den Zorn ihrer Vorgesetzten zuzuziehen.

Beruhigt fährt Sarah nach Hause, ihr Plan ist gut, er hat Hand und Fuß. Er ist beinah perfekt.

Etwas allerdings übersieht sie, obwohl ihre vielen Berufsjahre es sie hinreichend gelehrt haben sollten: In einem Haifischbecken sollte man besser nicht bluten.

Mein Werk schreitet ganz allmählich voran,
wie ein Wald, der stillschweigend wächst.
Meine Aufgabe ist anspruchsvoll,
sie darf durch nichts gestört werden.

So eingesperrt in mein Atelier,
fühle ich mich doch nicht einsam.

Mitunter überlasse ich meine Finger
ihrem sonderbaren Ballett
und denke an all die Leben,
die ich nicht leben werde,
an die Reisen, die ich niemals unternommen,
an die Gesichter, in die ich nicht geblickt habe.

Ich bin nur ein kleines Glied in der Kette,
ein lächerliches Glied, aber gleichviel,

mir scheint, mein Leben liegt
in diesen drei gespannten Fäden vor mir,
in diesen Haaren, die meine Fingerspitzen
umtanzen.

Smita

Badlapur, Uttar Pradesh, Indien

Nagarajan ist eingeschlafen. Smita liegt ausgestreckt neben ihm und hält den Atem an. In der ersten Stunde ist sein Schlaf immer unruhig; sie muss sich gedulden, wenn sie ihn nicht aufwecken will.

In der Nacht wird sie fortgehen. Das hat sie nun entschieden. Vielmehr hat das Leben es für sie entschieden. Sie hätte nicht gedacht, dass sich ihr Vorhaben so bald schon in die Tat umsetzen ließe, aber die Gelegenheit hat sich ergeben wie ein Geschenk des Himmels: Die Frau des Brahmanen hat einen Abszess am Zahn und musste am Morgen den Dorfarzt aufsuchen. Smita war gerade dabei, den abscheulich stinkenden Abort zu leeren, als sie sah, wie die Frau das Haus verließ. Ihr Entschluss stand binnen Sekunden fest – ein so günstiger Augenblick würde nicht wiederkehren.

Vorsichtig ist sie in die Küche geschlichen und

hat den Tonkrug mit den Reiskörnern angehoben, unter dem die Familie die Geldscheine hortet. Es ist kein Diebstahl, hat sie sich gesagt, ich nehme mir nur, was man mir schuldet – es ist gerecht. Sie hat die Summe, die sie dem Brahmanen neulich überlassen haben, genau abgezählt, keine Rupie mehr hat sie eingesteckt. Jemanden zu bestehlen, so reich er auch sein mag, ihm nur eine einzige Münze zu entwenden, würde gegen alle ihre Prinzipien verstoßen, Vishnu wäre erzürnt. Smita ist keine Diebin, lieber stirbt sie vor Hunger, bevor sie ein Ei stiehlt.

Sie hat das Geld unter ihrem Sari verschwinden lassen und ist nach Hause geeilt. Fieberhaft hat sie ein paar Sachen zusammengerafft – das Allernötigste. Lalita und sie sind zart, sie dürfen sich nicht zu schwer beladen. Wenige Kleidungsstücke und ein bisschen Proviant für unterwegs, Reis und *Papadams*, die rasch zubereitet sind, während Nagarajan noch auf den Feldern ist. Smita weiß, er würde sie nicht gehen lassen. Sie haben nicht mehr über ihre Absicht zu fliehen gesprochen, aber sie kennt seine Haltung in der Sache. Sie hat keine andere Wahl, als sich heimlich im Dunkeln davonzuschleichen. Sie hofft, dass die Frau des Brahmanen bis dahin nichts bemerkt. Sobald sie entdeckt, dass unter dem Krug ein paar Scheine fehlen, ist Smitas Leben in Gefahr.

Vor dem kleinen Altar kniend, hat sie Vishnu um Schutz angefleht. Er möge über sie und ihre Tochter auf ihrer langen Reise durchs Land wachen, 2000 Kilometer müssen sie zu Fuß, mit dem Bus und dem Zug bis Chennai bewältigen. Eine anstrengende, gefährliche Reise mit ungewissem Ausgang. Während sie ihr Gebet spricht, durchströmt Smita ein warmes Gefühl, als wenn sie plötzlich nicht mehr allein wäre, als wenn Millionen Unberührbare neben ihr vor diesem Altar knieten und mit ihr beteten. Sie legt ein Versprechen ab: Für den Fall, dass ihre Flucht gelingt, dass die Frau des Brahmanen nichts bemerkt, dass die Jats sie nicht erwischen, dass sie Varanasi erreichen, dort in den Zug steigen und schließlich heil im Süden ankommen, werden sie Vishnu im Tempel von Tirupati die Ehre erweisen. Smita hat von dem mythischen Ort in den Tirumala-Bergen gehört, er liegt keine 200 Kilometer von Chennai entfernt und soll der meistbesuchte Pilgerort der Welt sein. Es heißt, dass sich jedes Jahr Millionen Menschen dorthin begeben, um Shri Venkateshvara, dem Herrn der Berge, der eine Form der höchsten Gottheit Vishnu ist, ihre Opfergaben darzubringen. Ihr Gott und Beschützer wird sie nicht im Stich lassen, davon ist Smita überzeugt. Sie greift nach dem an den Ecken geknickten Heiligenbild, vor dem sie betet – eine kolorierte Darstellung des vierarmigen Gottes –, steckt es unter ihren Sari und drückt es fest an sich. Wenn er sie begleitet, wird ihr nichts zustoßen. Es ist, als legte er sich wie ein unsichtbarer Mantel um ihre Schultern, hüllte sie ein, um sie vor Gefahren zu beschützen. Mit diesem Umhang fühlt Smita sich unbesiegbar.

Das Dorf ist in Dunkelheit getaucht. Nagarajans Atem geht gleichmäßig, er schnarcht leise. Es ist kein aggressives Geräusch, eher ein sanftes Schnurren, wie von einem Tigerbaby, das sich an den Bauch seiner Mutter schmiegt. Smitas Herz krampft sich zusammen. Sie hat diesen Mann geliebt, seine Nähe hatte etwas Beruhigendes. Doch sein mangelnder Mut und der bittere Fatalismus, den er ihrem Leben überstülpt, machen sie wütend. Sie wäre gern mit ihm zusammen fortgegangen. Aber in dem Augenblick, da er sich weigerte zu kämpfen, hat sie aufgehört, ihn zu lieben. Die Liebe ist vergänglich, sagt sie sich, sie geht, wie sie kommt, manchmal genügt ein Flügelschlag.

Als sie aufstehen will, packt sie ein Schwindel. Ist es nicht vollkommener Wahnsinn, die Reise zu unternehmen? Wenn sie nur nicht so rebellisch wäre, so unbezähmbar, wenn sie nur nicht andauernd diesen Schmetterling in ihrem Bauch spüren würde, dann könnte sie davon ablassen, könnte ihr Schicksal akzeptieren, wie Nagarajan und all die anderen Dalits es tun. Sie würde sich wieder hinlegen und in traumloser Starre auf die Morgendämmerung warten, so, wie man auf den Tod wartet.

Aber es gibt kein Zurück. Sie hat das Geld, das unter dem Tonkrug des Brahmanen lag, an sich genommen, sie kann es nicht rückgängig machen. Sie darf jetzt nicht weiter darüber nachdenken, sie muss sich auf den Weg machen, der sie weit fort von hier führen wird – oder auch nirgendwohin. Es ist nicht die Möglichkeit ihres Todes, die sie zurückschrecken lässt, auch nicht das Leid, das ihr vielleicht bevorsteht – sie fürchtet nicht um ihr eigenes Wohl, zumindest nicht übermäßig. Angst hat sie vor dem, was Lalita widerfahren könnte.

Lalita ist stark, versucht sie sich zu beschwichtigen. Smita weiß es seit dem Tag ihrer Geburt. Als der Geburtshelfer des Dorfes die Kleine nach der Entbindung untersuchte, biss sie ihn in die Hand. Der Mann lachte – ihr zahnloser Mund hatte kaum eine Spur auf seiner Haut hinterlassen. Ihre Tochter hat ihren eigenen Kopf, sagte er. Und mit ihren sechs Jahren, kaum so groß wie ein Schemel, hat sie sich dem Brahmanen widersetzt. Vor der ganzen Klasse hat sie ihm in die Augen gesehen und »nein« gesagt. Man muss nicht hochgeboren sein, um Mut zu haben. Dieser Gedanke gibt Smita Kraft. Nein, sie wird Lalita nicht dem Dreck überantworten, sie wird sie nicht diesem verdammten *Dharma* ausliefern.

Leise tritt Smita an das Bett ihrer schlafenden Tochter. Der Schlaf von Kindern ist ein Wunder, denkt sie. Lalita schlummert so friedlich, dass sie sich schuldig fühlt, sie dabei zu stören. Die Gesichtszüge ihrer Tochter sind entspannt, harmonisch, wunderschön. Wenn sie schläft, sieht sie noch jünger aus, als sie ist, fast wie ein Baby. Smita wünscht sich, sie müsste das nicht tun: ihre Tochter mitten in der Nacht zu wecken, um zu fliehen. Das Kind hat keine Ahnung, mit welchen Gedanken ihre Mutter sich trägt; sie weiß nicht, dass sie ihren Vater am Abend zuvor zum letzten Mal gesehen hat. Smita beneidet sie um diese Unschuld. Es ist lange her, dass sie selbst Zuflucht im Schlaf gefunden hat. Ihre Nächte gleichen dunklen Abgründen, ihre Träume sind so schwarz wie der Dreck, den sie tagsüber entsorgt. Ob es dort unten, im Süden, anders sein wird?

Lalita schläft mit ihrer einzigen Puppe im Arm, ein Geschenk zu ihrem fünften Geburtstag: eine kleine »Banditenkönigin« mit rotem Band im Haar, genau wie Phoolan Devi. Smita hat ihr die Geschichte dieser Frau oft erzählt, die aus einer niederen Kaste stammte, mit elf Jahren verheiratet wurde und sich als große Rebellin einen Namen machte. Phoolan Devi stand an der Spitze einer *Dacoit*-Bande, kämpfte für die Rechte der Unterdrückten, führte Rachefeldzüge gegen die wohlhabenden Landbesitzer, die sich auf ihren Feldern an den Mädchen der unteren Kasten vergingen. Sie raubte die Reichen aus und verteilte die Beute unter den Armen, sie war eine Volksheldin, manche sahen in ihr gar eine Inkarnation der Kriegsgöttin Durga. Man klagte sie wegen achtundvierzig Verbrechen an, sie wurde verhaftet, ins Gefängnis gesperrt, irgendwann wieder freigelassen und ins Parlament gewählt, bevor drei maskierte Männer sie auf offener Straße ermordeten. Wie alle kleinen Mädchen, die hier aufwachsen, liebt Lalita diese Puppe – man findet sie überall auf den Märkten in der Umgebung.

Lalita, wach auf. Komm!

Die Kleine fährt aus einem Traum hoch, der nur ihr gehört. Sie sieht sich schlaftrunken um.

Sei leise. Zieh dich an. Schnell.

Smita hilft ihr, sich fertigzumachen. Lalita lässt es geschehen, beobachtet ihre Mutter jedoch mit wachsender Unruhe: Was hat sie vor, mitten in der Nacht?

Es ist eine Überraschung, flüstert Smita.

Sie wagt nicht, ihrer Tochter zu sagen, dass sie fortgehen und nicht zurückkommen werden. Dass sie mit einem Ticket ohne die Möglichkeit zur Rückkehr unterwegs sein werden, dass es sich um eine einfache Fahrt hin zu einem besseren Leben handelt. Nie mehr die Hölle von Badlapur erleben, das hat Smita sich geschworen. Lalita würde es nicht verstehen, sie würde weinen, sich womöglich widersetzen. Smita will nicht riskieren, dass ihre Flucht daran scheitert. Also lügt sie. Es ist eine Notlüge, sagt sie sich zum Trost, eine kleine Schönheitskorrektur, die sie an der Wirklichkeit vornimmt.

Bevor sie die Hütte verlassen, wirft sie einen letzten Blick auf Nagarajan, ihr Tiger schläft tief und fest. Neben ihn, dort, wo jetzt eine Leere zurückbleibt, hat sie einen Zettel gelegt. Es ist kein Brief – Smita kann nicht schreiben. Sie hat lediglich die Adresse ihrer Cousins in Chennai kopiert. Vielleicht verhilft ihr Aufbruch Nagarajan zu dem nötigen Mut, der ihm im Augenblick noch fehlt. Vielleicht findet er die Kraft, ihnen zu folgen. Wer weiß.

Schließlich kehrt Smita ihrem bisherigen Leben den Rücken, ohne Bedauern – oder nur mit sehr wenig Bedauern –, ergreift die eiskalte Hand ihrer Tochter und geht hinaus in die dunkle Nacht.

Giulia

Palermo, Sizilien

Giulia hat mit allem gerechnet, nur nicht damit.

Vor ihr, im Büro des Vaters ausgebreitet, liegt der Inhalt der Schublade: Briefe des Gerichtsvollziehers, Zahlungsaufforderungen, unzählige Einschreiben. Die Wahrheit trifft sie wie der Schlag. Sie lässt sich in einem Wort zusammenfassen: Bankrott. Die Fabrik ächzt unter einem gigantischen Schuldenberg. Das Haus Lanfredi steht vor dem Ruin.

Der Vater hat nie etwas durchsickern lassen. Er hat sich niemandem anvertraut. Ein einziges Mal ließ er fallen, dass die Tradition der *Cascatura* sich verlöre. Auch die Sizilianer seien in die Fänge des modernen Lebens geraten, sie bewahrten ihre Haare nicht mehr auf. Das entsprach der Realität, man hob nichts mehr auf – sobald etwas abgenutzt war, warf man es weg und kaufte es nach. Giulia sieht die Situation wieder vor sich, wie die Familie während einer Mahlzeit um den großen Tisch saß: Schon bald, hatte der Vater gesagt, werde es an Rohstoffen fehlen. In den sechziger Jahren zählte die Lanfredi-Werkstatt noch fünfzehn Konkurrenten in Palermo. Sie alle haben inzwischen dichtgemacht. Er war stolz darauf, der letzte Überlebende zu sein. Giulia wusste, dass das Unternehmen in Schwierigkeiten steckte, aber sie ahnte nicht im Geringsten, dass sie kurz vor der Pleite standen. Diese Möglichkeit hatte sie nicht in Betracht gezogen.

Nun muss sie sich eines anderen belehren lassen. Den Berechnungen zufolge, bleibt die Werkstatt noch einen Monat. Wenn die zu verarbeitende Materie dann ausbleibt, werden sich die Angestellten in der Erwerbslosigkeit wiederfinden. Die Firma wird sie nicht mehr bezahlen können. Sie werden Konkurs anmelden und die Pforten schließen müssen.

Dieser Gedanke bestürzt Giulia zutiefst. Seit Jahrzehnten lebt die gesamte Familie von den Einnahmen aus der Werkstatt. Sie denkt an ihre Mutter, die zu alt ist, um zu arbeiten, an Adela, die noch zur Schule geht. Ihre ältere Schwester Francesca ist Hausfrau und mit einem Hallodri verheiratet, der seinen Lohn regelmäßig beim Glücksspiel verschleudert – nicht selten hat der *Papa* ihnen am Ende des Monats unter die Arme gegriffen. Was soll aus ihnen werden? Das Haus der Familie ist mit einer Hypothek belastet, man wird die Besitztümer pfänden. Die Arbeiterinnen werden es schwer haben, eine andere Anstellung zu finden, ihr Beruf ist hoch spezialisiert, in ganz Sizilien gibt es keine vergleichbare Werkstatt mehr. Wie werden diese Frauen, die ihr wie Schwestern sind, mit denen sie so viel geteilt hat, bloß über die Runden kommen?

Und ausgerechnet jetzt liegt der *Papa* im Koma. Plötzlich erstarrt sie. Ein furchtbares Bild schiebt sich vor ihr geistiges Auge: Ihr Vater, wie er, in die Enge getrieben und verzweifelt, auf seiner Vespa die Straße an der Steilküste entlangfährt, schnell und immer schneller ... Sie verscheucht diesen schrecklichen Gedanken sofort. Nein, niemals würde er ihnen das antun, niemals würde er seine Frau, seine Töchter, seine Angestellten so schmählich im Stich lassen ... Pietro Lanfredi hat ein ausgeprägtes Ehrgefühl, er gehört nicht zu denen, die in einer Krisensituation kneifen. Doch Giulia weiß auch, dass er an dem Fortbestehen der kleinen Fabrik, die sein Großvater einst gründete, seinen Erfolg misst, sie ist sein ganzer Stolz, die Quintessenz seines Lebens. Könnte er es ertragen, seine Arbeiterinnen entlassen und dabei zusehen zu müssen, wie das Familienunternehmen abgewickelt, sein Lebenswerk vernichtet wird? Ein grausamer Zweifel nagt an Giulia.

Das Boot ist im Begriff zu sinken, sagt sie sich. Und alle sind an Bord, sie selbst, die *Mamma*, ihre Schwestern, die Angestellten. Wie auf der *Costa Concordia* hat der Kapitän das Schiff verlassen, das Ertrinken ist ihnen sicher. Es gibt kein Beiboot und keine Rettungsringe. Nichts, woran man sich festhalten könnte.

Die Gespräche ihrer Kolleginnen, die von der Haupthalle zu ihr dringen, reißen sie aus ihren Gedanken. Wie jeden Morgen tauschen sie sich über Gott und die Welt aus, bevor sie sich an die Arbeit machen. Für einen kurzen Augenblick beneidet Giulia sie um ihre Leichtigkeit – sie wissen noch nicht, was ihnen bevorsteht. Sie räumt die Papiere wieder zusammen, schließt die Schublade so behutsam, wie man einen Sarg zudeckt, und dreht den Schlüssel um. Sie bringt es nicht übers Herz, den Frauen mitzuteilen, wie die Dinge liegen, ebenso wenig möchte sie lügen. Sie kann nicht an ihrer Seite arbeiten und so tun, als wäre nichts. In ihrer Not flüchtet sie sich in das *Laboratorio* auf dem Dach. Sie setzt sich hin und sieht auf das Meer hinaus, so wie ihr Vater es immer tat. Er konnte Stunden damit zubringen. Ich werde nie müde, dieses Naturschauspiel zu betrachten, pflegte er zu sagen. Giulia fühlt sich in diesem Moment vor allem einsam, dem Meer ist ihr Kummer völlig egal.

Am Mittag trifft sie Kamal in der Grotte. Sie erzählt ihm nicht, was sie bedrückt. Sie will ihren Kummer in seinen Armen vergessen, nicht mehr. Sie lieben sich, und für einen Augenblick erscheint alles weniger schlimm. Kamal blickt sie schweigend an, als ihre Augen sich mit Tränen füllen. Er küsst sie sanft – ihre Küsse schmecken nach Salzwasser.

Als Giulia abends nach Hause zurückkehrt, schützt sie eine Migräne vor, schließt sich in ihr Zimmer ein und vergräbt sich unter der Decke.

In der Nacht drängen sich seltsame Bilder in ihren Schlaf: die Werkstatt ihres Vaters in Stücke zerschlagen, das Haus der Familie verlassen und verkauft, der verstörte Blick ihrer Mutter, die Arbeiterinnen auf der Straße, überall verstreut liegen Haarsträhnen, sie schwimmen im Meer, ein stürmisches Meer voller Haare … Giulia wälzt sich hin und her, sie will nicht daran denken, aber die Bilder kehren beharrlich wieder, wie ein Fiebertraum, aus

dem sie sich nicht befreien kann. Erst die Morgendämmerung erlöst sie von ihrer Pein. Als sie aufsteht, hat sie den Eindruck, keine Minute geschlafen zu haben, ihr ist übel, sie fühlt sich, als wäre
ihr Kopf in einen Schraubstock gespannt. Ihre Füße
sind eiskalt, ihre Schläfen pochen.

Sie wankt zum Badezimmer. Eine heiße oder
kalte Dusche wird dem Albtraum ein Ende bereiten, hofft sie, und ihren erschöpften Körper wieder
zum Leben erwecken. Doch vor der Badewanne hält
sie inne.

Auf dem Boden der Wanne sitzt eine Spinne.

Eine kleine Spinne mit zarten Beinchen wie Fäden in einem Spitzengewebe. Sie muss die Rohrlei-
tung hochgekrabbelt sein, und nun sitzt sie in dieser
riesigen weißen Falle, kein Ausweg in Sicht. Wahrscheinlich hat sie anfangs noch tapfer versucht, die
glatten Wände hochzukommen, ist jedoch immer
wieder abgerutscht, bis sie einsehen musste, dass
sie einen aussichtslosen Kampf führt. Nun harrt sie,
ohne sich zu rühren, ihres Schicksals oder einer un-
geahnten Möglichkeit, ihm zu entkommen. Doch
welcher?

Plötzlich muss Giulia weinen. Es ist weniger der
Anblick des schwarzen Tiers auf dem weißen Wan-
nenboden, der sie so aufwühlt – auch wenn sie sich

vor Spinnen ekelt, sie lösen eine unkontrollierte Panik in ihr aus –, als vielmehr die Gewissheit, dass sie sich in derselben Lage befindet: Auch sie sitzt in der Falle, und niemand wird sie daraus befreien.

Am liebsten würde sie sich in ihr Bett verkriechen und nicht mehr aufstehen. Einfach verschwinden – was für eine süße Verlockung. Sie weiß nicht, wohin mit ihren Sorgen, die wie eine gewaltige Welle über sie hereinbrechen. Als Kind wäre sie bei einem Familienausflug nach San Vito Lo Capo beinahe einmal ertrunken. Normalerweise ist das Meer dort sehr ruhig, an jenem Tag aber herrschte ungewöhnlich starker Seegang. Sie wurde von einer besonders hohen Welle mitgerissen, und während einiger Sekunden war sie von der Welt abgeschnitten, um sie herum nichts als Gischt. Sie erinnert sich noch zu gut an all den Sand und die feinen Kiesel in ihrem Mund. Für einen Moment wusste sie nicht mehr, wo der Himmel und wo die Erde war, die Konturen ihrer Umgebung hatten sich aufgelöst. Durch die starke Strömung wurde sie in die Tiefe gezogen, als wenn jemand ihren Fuß ergriffen hätte. In ihrem halbbewussten Zustand – eine häufige Begleiterscheinung bei Stürzen oder Unfällen, die das Empfinden von Erlebtem stark verlangsamt – hatte sie geglaubt, dass sie nie wieder nach oben gelangen würde. Dass es mit ihr nun zu Ende wäre. Sie hatte sich schon fast aufgegeben, da spürte sie die rettende Hand ihres Vaters, die sie an die Oberfläche zog. Als sie wieder zu sich kam, war sie überrascht und stand unter Schock. Aber sie war lebendig.

Diese neue Welle hingegen würde sie nicht wieder freigeben.

Das Schicksal scheint nicht von den Lanfredis abzulassen, denkt Giulia bitter, wie das Erdbeben damals, das gleich mehrere Male an derselben Stelle mitten in Italien wütete.

Der Unfall ihres Vaters hat die Familie schwer erschüttert – der Niedergang der Werkstatt wird sie vernichten.

Sarah
Montreal, Kanada

Sarah spürt es: In der Kanzlei hat sich etwas verändert. Sie kann es nicht genau benennen, es sind feine Schwingungen, kaum wahrnehmbar, aber doch vorhanden.

Sie bemerkt zunächst die verstohlenen Blicke, die man ihr zuwirft, den veränderten Tonfall, in dem man sie begrüßt, die Art und Weise, wie man sich betont nach ihrem Wohlbefinden erkundigt oder, im Gegenteil, es vermeidet, sie danach zu fragen. Dann fällt ihr das gezwungene Lächeln auf, mit dem manche Kollegen ihr begegnen, andere hingegen scheinen ihr auszuweichen. Niemand verhält sich natürlich.

Sie fragt sich, was bloß los ist mit allen. Kleidet sie sich unpassend, ist sie nachlässig geworden, was ihr Äußeres angeht? Dabei achtet sie doch penibel darauf, stets wie aus dem Ei gepellt zu sein. Sie erinnert sich an eine Begebenheit während ihrer Schulzeit: Ihre Lehrerin kam eines Tages mit einem Müllbeutel in die Schule, den sie völlig zwanglos auf dem Pult abstellte, bevor ihr klarwurde, dass sie offenbar beim Verlassen des Hauses ihre Handtasche in die Abfalltonne geworfen hatte. Sie hatte die ganze Strecke zur Schule zurückgelegt, ohne es zu bemerken. Natürlich waren die Schüler in schallendes Gelächter ausgebrochen.

Aber Sarahs Erscheinung ist mustergültig, wie immer – sie hat sich am Morgen ausführlich im Spiegel begutachtet. Abgesehen von ihren müden Gesichtszügen und ihrer Magerkeit, die sie gut zu kaschieren weiß, verrät nichts ihre schlechte Verfassung. Warum also diese vorsichtige Zurückhaltung ihr gegenüber? Zwischen ihr und den Kollegen herrscht seit einigen Tagen eine merkwürdige Distanz, sie hat sich schleichend etabliert und geht nicht von ihr aus.

Eine einzige, winzige Bemerkung ihrer Sekretärin öffnet Sarah schließlich die Augen.

Es tut mir leid, sagt die Frau leise und sieht sie betrübt dabei an. Für den Bruchteil einer Sekunde fragt Sarah sich, wovon sie spricht. Hat sich eine Katastrophe ereignet, über die sie nicht Bescheid weiß? Ein Attentat, ein unvorhergesehener Sturm, ein Unfall, ein Todesfall? Sehr schnell wird ihr jedoch klar, dass es um sie geht. Dass sie das Opfer ist, die Verletzte, die zu Bemitleidende.

Sarah ist sprachlos.

Wenn die Sekretärin im Bilde ist, wird wohl jeder hier auf dem Laufenden sein.

Inès hat geredet. Sie hat den stillschweigenden Pakt, der zwischen ihnen bestand, ohne Vorwarnung von einem Tag auf den anderen gebrochen. Sie hat Sarahs Geheimnis aufgedeckt. Wie ein Lauffeuer hat sich die Neuigkeit in der Kanzlei ausgebreitet, ist über die Flure in die einzelnen Büros vorgedrungen, in die Konferenzräume und in die Cafeteria, hat sich ausgedehnt bis in die letzte Etage, bis zur obersten Hierarchiestufe und damit auch Johnson erreicht.

Inès, an die Sarah immer geglaubt hat, Inès, die sie selbst ausgesucht und eingestellt hat, Inès, die ihr jeden Morgen freundlich zulächelt, Inès, mit der sie beruflich alles teilt, die immer unter ihrem Schutz stand, Inès, ja dieselbe Inès hat ihr soeben einen Dolchstoß versetzt, und zwar auf die denkbar niederträchtigste Weise.

Tu quoque, Brute mi fili.

Sie hat das Geheimnis ausgerechnet an den Menschen weitergegeben, der es am ehesten verbreiten würde: an Gary Curst, den eifersüchtigsten, ehrgeizigsten und frauenfeindlichsten Mitgesellschafter, der Sarah seit Anbeginn in glühendem Hass verbunden ist. Sie habe *im Interesse der Kanzlei* gehandelt, verteidigt sich die Verräterin in heuchlerischer Zerknirschung, bevor sie hinzufügt: *Es tut mir leid.* Sarah glaubt nicht eine Sekunde an ihr Bedauern. Sie hätte sich besser in Acht nehmen müssen. Inès ist raffiniert, sie denkt *politisch*, wie es so schön heißt, was eine elegante Umschreibung für *skrupellos* ist, was wiederum auf Menschen zutrifft, die stets die Macht im Blick haben, die *sich nicht vor Schlägen unter die Gürtellinie scheuen.* Inès wird es weit bringen, das hat Sarah selbst ihr einmal prophezeit. *Wenn sie ihre Möglichkeiten zu nutzen wisse.*

Sie ist zu Curst gegangen, *um ihr Gewissen zu beruhigen*, um ihm mitzuteilen, dass Sarah *Fehler* in dem Fall unterlaufen, den sie gerade zusammen betreuen – dem Fall Bilgouvar, bei dem für die Kanzlei erhebliche Summen auf dem Spiel stehen. Es handele sich um kleine Schnitzer, die natürlich überhaupt nicht *verwerflich* seien, *zumal in Anbetracht ihres Zustands.*

Niemals sind Sarah *Schnitzer* unterlaufen. Zwar

hat sie seit Beginn der Therapie zunehmend Schwierigkeiten, sich zu konzentrieren, ihre Aufmerksamkeit hat nachgelassen, manchmal vergisst sie während eines Gesprächs Kleinigkeiten, einen Namen
oder eine Frist, aber keinesfalls beeinträchtigt das
die Qualität ihrer Arbeit. Sie verpasst nicht einen
geschäftlichen Termin, nicht eine Sitzung. Innerlich fühlt sie sich erschöpft, doch geht sie mit dop-
peltem Einsatz ans Werk, damit niemandem etwas
auffällt. Sie hat keinen *Fehler* begangen, ihr ist kein
Schnitzer unterlaufen. Inès weiß es.

Warum also? Warum hat Inès sie verraten? Sarah
durchschaut die Taktik ihrer Mitarbeiterin zu spät,
und der Gedanke daran jagt ihr einen Schauer über
den Rücken: Inès will ihren Platz. Sie trachtet nach
Sarahs Status als Mitgesellschafterin. Die Karriere-
möglichkeiten in der Kanzlei sind gering, man lässt
die Junioranwälte nicht ohne weiteres aufsteigen.
Ein Partner, der schwächelt, ist eine Tür, die sich
öffnet, eine Gelegenheit, die man beim Schopf ergreifen sollte.

Curst verfolgt ein ähnliches Interesse: Er ist seit
jeher eifersüchtig auf das Vertrauensverhältnis, das
zwischen Sarah und Johnson herrscht. Es ist anzunehmen, dass Johnson sie als seine Nachfolgerin
benennen wird. Es sei denn, irgendetwas kommt

dazwischen, ein Stolperstein, der ihren Aufstieg behindert … Gary Curst wähnt sich bereits auf dem Thron – eine langwierige, heimtückische, gefährliche Krankheit, die potentiell immer wieder auftreten kann, ist die ideale Waffe, um einen Feind aus dem Weg zu räumen. Und dabei bleibt kein Tropfen Blut an Cursts Händen haften, das perfekte Verbrechen. Wie beim Schach muss ein Bauer geopfert werden, damit alle anderen Figuren ein Feld vorrücken können. In diesem Fall muss Sarah dafür herhalten.

Es genügt ein Wort, ein Wort nur, das in falsche Ohren gelangt. Und das Unglück ist geschehen.

Jetzt ist es offiziell, jeder weiß es: Sarah Cohen ist krank.

Krank, man könnte auch sagen: verletzlich, fragil, bereit, einen Fall aufzugeben, nicht mehr imstande, sich voll und ganz in einer Sache zu engagieren, reif für eine längere Auszeit.

Krank, man könnte auch sagen: unzuverlässig, nicht mehr verfügbar. Schlimmer noch, ein Todeskandidat, der möglicherweise in einem Monat, einem Jahr abdankt, wer weiß das schon? Diesen furchtbaren, hinter vorgehaltener Hand geflüsterten Satz, schnappt Sarah einmal auf, als sie den Flur entlangläuft: Ja, wer weiß das schon?

Krank zu sein ist schlimmer, als schwanger zu sein. Bei einer Schwangerschaft weiß man zumindest, wann sie vorüber ist. Ein Krebs hat die boshafte Eigenschaft, wiederkehren zu können. Wie ein Damoklesschwert schwebt er über dem Kopf des Betroffenen, verfolgt ihn wie eine schwarze Wolke überallhin.

Sarah weiß, dass es zum Pflichtprogramm eines Anwalts gehört, brillant, leistungsstark, offensiv zu sein. Er muss Sicherheit ausstrahlen, überzeugen, durch Argumente bestechen. In einer großen Wirtschaftskanzlei wie *Johnson & Lockwood* bewegen sich die Streitwerte in Millionenhöhe. Sie kann sich vorstellen, was allen durch den Kopf geht. Kann man wirklich weiterhin auf sie setzen? Sollte man sie tatsächlich mit den wichtigen Fällen betrauen, die sich über Jahre hinziehen werden? Wird sie überhaupt noch da sein, wenn es zur Gerichtsverhandlung kommt?

Wird sie noch in der Lage sein, die nötigen Nacht- und Wochenendschichten zu leisten? Wird ihre Kraft dafür ausreichen?

Johnson hat sie in sein Büro in der obersten Etage zitiert. Er wirkt verärgert. Er hätte es vorgezogen, dass sie von sich aus zu ihm gekommen wäre, um ihn persönlich über ihre Angelegenheit zu informieren. Sie hätten doch immer einen vertrauten Umgang miteinander gepflegt – warum also hat sie nichts erzählt? Sarah registriert zum ersten Mal, dass sein Tonfall ihr missfällt. Die herablassende, paternalistische Haltung, die er ihr gegenüber an den Tag legt und die er, wenn sie es recht überlegt, eigentlich immer schon an sich hatte, stößt ihr mit einem Mal übel auf. Sie würde ihm gern entgegnen, dass es sich um ihren Körper handelt, um ihre Gesundheit und dass nichts sie dazu verpflichtet, ihn darüber in Kenntnis zu setzen. Wenn ihr schon kaum noch Freiheiten bleiben, so doch zumindest die, ihre Krankheit nicht zum Thema zu machen. Sie könnte ihm sagen, dass er sich zum Teufel scheren soll mit seiner scheinheiligen Besorgnis, sie weiß genau, was ihn umtreibt: Es ist ihm einerlei, wie es ihr geht, wie sie sich fühlt und ob sie in einem Jahr noch da sein wird. Alles, was ihn interessiert, ist, ob sie sich auch in Zukunft befähigt, ja befähigt, sieht, die verdammten Fälle so effizient wie zuvor zu bearbeiten. Kurzum: ob sie weiterhin Leistung bringen wird.

Natürlich sagt Sarah nichts dergleichen. Sie bewahrt einen kühlen Kopf. Sie gibt sich selbstbewusst, versucht Johnson zu beruhigen: Nein, sie wird nicht für längere Zeit ausfallen. Nicht einen Tag wird sie fehlen. Sie wird da sein, wenn auch leicht angeschlagen, sie wird ihre Pflicht erfüllen und sich ihrer Fälle wie gewohnt annehmen.

Während sie sich so reden hört, hat sie plötzlich den Eindruck, vor Gericht auszusagen, der Prozess wurde soeben eröffnet, und zwar gegen sie. Wie vor einem Richter sucht sie nach Argumenten, auf die sie ihre Verteidigung stützen könnte. Wieso tut sie das? Hat sie sich irgendetwas zuschulden kommen lassen? Hat sie einen Fehler begangen? Wofür soll sie sich rechtfertigen?

Als sie in ihr Büro zurückkehrt, versucht sie, sich einzureden, dass sich nichts verändern wird. Vergeblich. In ihrem tiefen Innern weiß sie, dass Johnson dabei ist, sein Verfahren einzuleiten.

Der Feind, überlegt sie in diesem Moment, ist vielleicht ein ganz anderer, als sie bisher angenommen hat.

Smita

Uttar Pradesh, Indien

Smita flieht, Lalitas kleine Hand fest umklammert, über die ruhig daliegenden Felder. Sie hat nicht die Zeit, große Worte zu verlieren, ihrer Tochter zu erklären, dass sie sich ihr Leben lang an diesen Moment erinnern wird, da sie ihre Wahl getroffen und ihre Schicksale in andere Bahnen gelenkt hat. Mit raschen, lautlosen Schritten, um nur ja nicht entdeckt zu werden, lassen sie das Dorf hinter sich. Wenn die Jats aufwachen, werden sie schon weit weg sein, hofft Smita. Sie dürfen keine Sekunde verlieren.

Komm, schnell!

Sie müssen zur Fernverkehrsstraße. Dort hat Smita in einem Gebüsch hinter dem Straßengraben ihr Fahrrad und eine kleine Box mit Lebensmitteln versteckt. Sie betet, dass niemand das Rad gestohlen hat, denn vor ihnen liegen noch einige Kilometer bis zum National Highway 56, wo der grün-weiße Überlandbus abfährt, der sie für ein paar Rupien nach Varanasi bringen wird. Die öffentlichen Busse bieten zwar weder Komfort noch Sicherheit – nachts putschen sich die Fahrer mit *Bhang* auf, einem Getränk aus Hanfblättern und -blüten –, aber der Preis für eine Fahrkarte ist unschlagbar. Und es sind schließlich nur hundert Kilometer, die sie von der heiligen Stadt trennen.

Der Morgen dämmert mit ersten Sonnenstrahlen herauf. Auf der Schnellstraße herrscht bereits Hochbetrieb, mit fürchterlichem Getöse rasen die Lastwagen an ihnen vorüber. Lalita zittert am ganzen Körper, Smita spürt die Angst ihrer Tochter, noch nie hat die Kleine sich so weit über die Grenzen des Dorfes hinausgewagt. Am anderen Ende dieser Straße wartet das Unbekannte, die weite Welt, die Gefahr.

Smita biegt die Zweige beiseite: Das Fahrrad ist immer noch da. Die kleine Schachtel mit dem Proviant allerdings ist hinüber, sie liegt ein Stück weiter zerfetzt im Graben – offenbar haben sich ein Hund oder ausgehungerte Ratten darüber hergemacht. Es ist fast nichts mehr übrig ... Sie werden mit leerem Magen weiterziehen müssen. Die Zeit ist zu knapp, um sich um etwas anderes Essbares zu kümmern. Die Frau des Brahmanen wird schon bald, wenn sie zum Markt aufbricht, unter dem Tonkrug nach Geld suchen. Ob ihr Verdacht sofort auf Smita fallen wird? Wird sie ihrem Mann Bescheid sagen? Werden sie sich gleich auf die Suche nach ihnen begeben? Nagarajan hat ihre Abwesenheit sicher schon bemerkt. Nein, sie haben wirklich keine Zeit mehr, sie müssen weiter. Die Flasche Wasser ist schließlich noch da – statt eines Frühstücks haben sie also zumindest etwas zu trinken.

Sobald Lalita auf dem Gepäckträger sitzt, tritt Smita in die Pedale. Das kleine Mädchen schlingt seine zarten Arme um die Hüften der Mutter und hält sich an ihr fest wie ein verängstigter Gecko – es wimmelt in dieser Gegend nur so von den grünen Eidechsen, denen man eine besondere Vorliebe für Kinder nachsagt. Smita ist bemüht, ihrer Tochter nicht zu zeigen, dass ihr ebenfalls angst und bange ist. Zahlreiche *Tata Trucks* – so heißen die Lastwagen der indischen Marke Tata Motors – überholen Smita auf der engen Straße mit ohrenbetäubendem Lärm. Verkehrsregeln gibt es hier nicht, der Größte und Stärkste hat immer Vorfahrt. Smita schwitzt Blut und Wasser, krampfhaft umfasst sie den Lenker, um ja nicht das Gleichgewicht zu verlieren – wie schrecklich, wenn sie jetzt stürzten. Sie muss durchhalten, es ist nicht mehr weit bis zum NH56, der Lucknow mit Varanasi verbindet.

Sie sitzen am Straßenrand. Smita wischt ihrer Tochter und sich mit einem Tuch den Staub von ihren Gesichtern. Seit zwei Stunden warten sie nun schon. Ob heute überhaupt noch ein Bus kommt? Die angegebenen Abfahrtzeiten werden anscheinend sehr großzügig ausgelegt, vielleicht sind sie auch frei erfunden. Als der Bus endlich auftaucht, hasten alle zu den Türen. Er ist bereits voll. Es wird schwierig sein, noch einen Platz zu finden. Manche klettern lieber gleich aufs Dach, sie trauen sich zu, die Fahrt unter freiem Himmel zu verbringen, obwohl es dort oben nur zwei seitliche Metallstangen gibt, an denen sie sich festhalten können. Smita packt Lalitas Hand und hievt sie mit großer Mühe in den Bus. Auf der hintersten Bank ergattern sie einen halben Sitzplatz für sie beide, immerhin. Doch Smita muss noch einmal zurück, um das Fahrrad zu holen, das sie draußen stehengelassen hat. Ein beinah aussichtsloses Vorhaben. Dutzende Menschen drängen sich im Durchgang, viele haben keinen Sitzplatz mehr bekommen und beschimpfen einander wüst.

Eine Frau hat Hühner im Gepäck, was den Zorn des Mannes neben ihr erregt. Und mitten in dem Durcheinander beginnt Lalita auf einmal laut zu schreien, hektisch deutet sie durch die Heckscheibe nach draußen: Ein Fremder ist auf ihr Fahrrad gestiegen und gerade dabei, sich mit kräftigen Pedaltritten davonzumachen. Smita erblasst – wenn sie dem Kerl jetzt hinterherjagt, geht sie das Risiko ein, dass der Bus ohne sie losfährt. Der Motor läuft bereits wieder und gibt rumpelnde Geräusche von sich. Schweren Herzens macht sie kehrt und muss mit ansehen, wie der schrottreife Drahtesel, den sie weiterverkaufen wollte, um von dem Geld etwas zu essen zu besorgen, allmählich aus ihrem Blickfeld verschwindet.

Der Bus setzt sich in Bewegung. Lalita presst ihr Gesicht gegen die Glasscheibe, sie will nichts von der Reise verpassen. Plötzlich aber rutscht sie aufgeregt hin und her.

Papa!

Smita dreht sich ruckartig um: Tatsächlich, Nagarajan ist am Straßenrand aufgetaucht. Er rennt dem Bus hinterher, der in diesem Moment langsam auf die Fahrbahn zurollt. Smita spürt, wie ihre Kräfte sie verlassen. Dort läuft ihr Mann, er will zu ihnen, sie kann seinen Gesichtsausdruck nicht deuten: zeigt er Bedauern, Verzweiflung, Zärtlichkeit? Oder Wut? Der Bus nimmt Fahrt auf und lässt Nagarajan immer weiter hinter sich. Lalita weint, trommelt gegen die Scheibe, wendet sich hilfesuchend an ihre Mutter.

Mama, sag ihnen, dass wir anhalten müssen!

Unmöglich. Niemals wird Smita bis zur Fahrerkabine durchkommen. Und selbst wenn es ihr gelänge, würde der Mann sich weigern anzuhalten – er würde sie eher auffordern, den Bus zu verlassen. Darauf will Smita es nicht ankommen lassen. Nagarajans Silhouette schrumpft indes auf einen kleinen Punkt zusammen, so hartnäckig er sich auch bemüht, Schritt zu halten. Lalita schluchzt. Jetzt ist ihr Vater verschwunden. Vielleicht für immer. Die Kleine vergräbt ihr Gesicht an der Schulter ihrer Mutter.

Du musst nicht weinen. Er wird später wieder zu uns stoßen.

Smita spricht mit fester Stimme, als wollte sie sich selbst davon überzeugen. Dabei ist nichts unwahrscheinlicher. Sie fragt sich, welche Opfer diese Reise wohl noch von ihr fordern wird. Während sie ihre weinende Tochter zu trösten versucht, tastet sie nach dem Heiligenbild unter ihrem Sari. Alles wird gut, sagt sie sich. Ihr Weg wird von Prüfungen gesäumt sein, aber Vishnu ist da, er wird immer in ihrer Nähe sein.

Inzwischen ist Lalita eingeschlafen. Die Tränen auf ihrem Gesicht sind getrocknet, sie haben kleine weiße Spuren hinterlassen. Vor dem Fenster zieht die Landschaft vorüber, zwischen Baracken und Feldern entdeckt Smita eine Tankstelle, eine Schule, rostige Lastwagenwracks, Stühle unter einem uralten Baum, einen improvisierten Markt, auf dem Boden sitzende Verkäufer, einen Verleih für nagelneue Mofas, einen See, Lagerhallen, die Ruine eines Tempels, Werbetafeln, Frauen in Saris mit Körben auf den Köpfen, einen Traktor. Man könnte meinen, ganz Indien habe sich am Rand dieser Straße versammelt, in einem namenlosen Chaos findet sich Altes neben Neuem, Reines neben Unreinem, Profanes neben Heiligem.

Mit dreistündiger Verspätung – ein im Schlamm steckengebliebener Lastwagen hat den gesamten

Verkehr lahmgelegt – erreichen sie den Busbahnhof von Varanasi. Schnaufend spuckt das Fahrzeug seine Ladung aus: Männer, Frauen, Kinder, Koffer, Hühner und alles, was die Passagiere sonst noch an Gepäck mitschleppen konnten. Sogar eine Ziege ist mitgereist. Verblüfft beobachtet Lalita, wie ein Mann das Tier vom Dach herunterschafft, und fragt sich, wie es überhaupt nach dort oben gelangt ist.

Kaum sind sie ausgestiegen, zieht die Energie der Stadt sie in ihren Bann. Busse, Autos, Rikschas und Lastwagen voller Pilger rauschen an ihnen vorüber, sie alle wollen zum Ganges oder zum Goldenen Tempel. Varanasi ist eine der ältesten Städte der Welt. Man kommt her, um sich reinzuwaschen, sich zu sammeln, zu heiraten, um die Asche seiner Verwandten dem heiligen Fluss zu übergeben oder um selbst zu sterben. An den Ghats, den Treppen, die hinunter zum *Ganga Mama* führen, begegnen sich Leben und Tod, Tag und Nacht in einem nicht enden wollenden Tanz.

Lalita ist überwältigt von dem Trubel um sie herum. Smita hat ihr oft von der heiligen Stadt erzählt, sie war als Kind einmal mit ihren Eltern hier gewesen. Gemeinsam hatten sie damals ihre *Panchatirthi Yatra* absolviert, die rituelle Reise entlang des Ganges, die in einer bestimmten Reihenfolge zu fünf verschiedenen Stellen des Flusses führt, an denen man ein reinigendes Bad nehmen soll. Zum Abschluss ihres Besuchs hatten sie die traditionellen Segnungen im Goldenen Tempel empfangen. Smita war ihren Eltern und Brüdern einfach gefolgt, hatte sich von ihnen an die feierlichen Handlungen heranführen lassen. Das Manikarnika Ghat, wo die Verbrennungen der Toten stattfinden, ist Smita besonders eindrucksvoll in Erinnerung geblieben. Noch heute sieht sie die Glut des Scheiterhaufens vor sich, auf dem der Leichnam einer alten Frau lag. Wie es der Brauch will, hatte man ihren Körper zunächst im Ganges gewaschen und dann trocknen lassen, nun sollte er dem Feuer übergeben werden. Mit Entsetzen hatte Smita beobachtet, wie die ersten Flammen um den Leichnam züngelten und ihn gleich darauf gierig und mit höllischem Geprassel verschluckten. Seltsamerweise schienen die Angehörigen nicht traurig zu sein, sie freuten sich über die *Moksha* der Verstorbenen, die nun von allem erlöst war. Sie unterhielten sich miteinander, lachten sogar, andere spielten Karten. Zwischen ihnen liefen weißgekleidete Dalits umher und schufteten ohne Unterlass – da Leichenverbrennungen als unreine Aufgabe schlechthin gelten, sind sie natürlicherweise den Unberührbaren vorbehalten. Sie sind es auch, die sich darum kümmern müssen, dass die Unmengen an Holz, die man für die Scheiterhaufen benötigt, mit Booten zu den Ghats geschafft werden. Staunend hatte Smita vor den Bergen aus Scheiten gestanden, die sich einsatzbereit an den Anlegeplätzen stapelten. Unterdessen labten sich nur ein paar Meter weiter Kühe am Wasser des Flusses, scheinbar unbeeindruckt von den Szenen, die sich am Ufer abspielten. Ganz in der Nähe unterzogen sich Männer, Frauen und Kinder in aller Ruhe ihren rituellen Waschungen, tauchten von Kopf bis Fuß in die Fluten des Ganges, um sich zu reinigen. Andere hielten farbenfrohe Hochzeitszeremonien ab und stimmten religiöse oder profane Gesänge an. Wieder andere spülten derweil ihr Geschirr ab oder wuschen ihre Wäsche. An manchen Stellen zeigte das Wasser schwarze Verfärbungen, Blüten und Öllämpchen, die traditionellen Opfergaben der Pilger, trieben neben halbverwesten Tieren oder sogar menschlichen Überresten an der Oberfläche – nach den Verbrennungen wird die Asche der Toten in den Fluss gestreut, und viele Familien, die nicht über die Mittel für eine Einäscherung verfügen, werfen die Leichen ihrer Angehörigen nur halb verbrannt oder auch völlig unberührt ins Wasser.

Heute ist niemand da, der Smita den Weg weist, sie hat keine Hand, an der sie sich festhalten kann, außer der ihrer Tochter, die jedoch Halt bei ihr sucht. Sie sind auf sich allein gestellt und müssen zum Bahnhof finden, der im Stadtzentrum liegt, kilometerweit entfernt von dem Ort, an dem der Bus sie abgesetzt hat.

Fasziniert betrachtet Lalita die Auslagen der Geschäfte, an denen sie vorübergehen, sie entdeckt Dinge, die sie noch nie im Leben gesehen hat. Hier ein Staubsauger, dort eine Presse für Zitrusfrüchte, da das Modell eines Badezimmers mit Waschbecken und Toilette. Lalita kommt aus dem Staunen nicht heraus. Smita seufzt ungeduldig, die Neugier des Kindes hält sie auf. Schließlich begegnen sie einer Parade von Schülern in braunen Uniformen, die Hand in Hand durch die Straßen marschieren. Unwillkürlich erhascht Smita den neidischen Blick, den ihre Tochter den Kindern zuwirft.

Endlich taucht das Bahnhofsgebäude vor ihnen auf. Auf dem Vorplatz herrscht ein buntes Treiben, Varanasi-Cantt ist einer der am meisten frequentierten Bahnhöfe des Landes. Vor den Schaltern in der Halle drängt sich ein Menschenmeer. Überall stehen, sitzen oder liegen Männer, Frauen und Kinder, die offenbar seit Stunden oder sogar Tagen hier warten.

Zielstrebig eilt Smita vorbei an den Händlern, die es auf naive Touristen abgesehen haben, denen sie für schlechte Ratschläge ein paar Rupien aus der Tasche ziehen können, und reiht sich in eine der vier endlos langen Warteschlangen – sie muss sich in Geduld üben. Lalita lässt inzwischen deutliche Anzeichen von Müdigkeit erkennen, kein Wunder, sie sind schon den ganzen Tag unterwegs, haben nichts gegessen und dennoch kaum hundert Kilometer zurückgelegt. Der anstrengende Teil der Reise steht ihnen erst bevor.

Es ist spät am Abend, als Smita endlich vor den Schalter tritt. Der Bahnhofsangestellte sieht sie überrascht an, als sie noch für denselben Abend zwei Tickets nach Chennai lösen will. Man muss die Fahrkarten mehrere Tage im Voraus reservieren, klärt er sie auf, so kurzfristig sind die Züge immer ausgebucht. Wie, sie hat keine Reservierung vorgenommen? … Bei der Vorstellung, die Nacht in dieser Stadt zu verbringen, wo sie niemanden kennt, wird Smita kreidebleich vor Schreck. Das Geld, das sie dem Brahmanen entwendet hat, wird gerade ausreichen, um die Fahrkarten zu bezahlen, vielleicht bleibt ein wenig übrig, so dass sie sich etwas zu essen kaufen können. Keinesfalls jedoch werden sie sich davon eine Pension oder auch nur einen Platz in einem Schlafsaal leisten können. Also beharrt Smita darauf, dass sie unbedingt an diesem Abend losmüssen, am besten so schnell wie möglich. Sie kramt ein paar zusätzliche Münzen hervor – ihre eiserne Reserve. Der Angestellte mustert sie zögernd, brummt etwas Unverständliches zwischen seinen gelben Zähnen, dann verschwindet er. Kurz darauf kehrt mit zwei Tickets für den nächsten Tag zurück, sie gelten für die *Sleeper class*, die billigste Kategorie in einem Zug. Mehr könne er nicht für sie tun. Später erfährt Smita, dass diese Tickets an alle Fahrgäste ohne Reservierung verkauft werden – denn in dieser Klasse gibt es keine Restriktionen bezüglich der Anzahl der Reisenden, die Waggons sind in der Regel brechend voll. Der Mann hat sie also übers Ohr gehauen.

Lalita ist erschöpft auf ihrem Arm eingeschlafen. Kraftlos sucht Smita nach einem Platz, an dem sie sich mit ihr hinsetzen kann. Überall, in der Bahnhofshalle wie an den Bahnsteigen, richten sich die Menschen auf eine ungemütliche Nacht ein. Die Glücklicheren unter ihnen können sich zum Schlafen ausstrecken. Smita lässt sich in einer Ecke neben einer weißgekleideten Frau mit zwei Kindern auf den Boden sinken. Lalita wacht auf. Sie hat Hunger. Smita hält ihr die Wasserflasche hin, mit mehr kann sie im Augenblick nicht dienen. Die Kleine beginnt zu schluchzen.

Unterdessen verteilt die Frau in Weiß trockene Kekse an ihre Kinder. Als sie Smita und ihre weinende Tochter sieht, steht sie auf und bietet ihnen etwas von ihrer kargen Mahlzeit an. Überrascht hebt Smita den Blick, sie ist es nicht gewöhnt, dass man sich um sie kümmert, sie hat noch nie gebettelt. Davor hat ihr Stolz sie stets bewahrt. Und ginge es nur um sie, würde sie auch jetzt jede Hilfe ablehnen, aber Lalita ist so zart und zierlich, sie wird die Reise nicht überstehen, ohne etwas zu essen. Also nimmt Smita die Banane und die Kekse, die man ihr reicht, dankbar entgegen. Gierig macht Lalita sich über beides her. Bei einem Straßenhändler ersteht die Frau einen Ingwertee, wortlos hält sie Smita ihren Becher hin. Das heiße, scharfe Getränk entfaltet sofort seine belebende Wirkung, als Smita vorsichtig daran nippt. Die Frau – sie heißt Lackshmama – beginnt ein Gespräch. Sie erkundigt sich, wohin Smita und Lalita so allein reisen, nur zu zweit. Gibt es keinen Ehemann, keinen Vater oder Bruder, der sie begleitet? Smita sagt, dass sie nach Chennai wollen – ihr Mann erwarte sie dort, schwindelt sie. Lackshmama erzählt, dass sie mit ihren beiden Söhnen nach Vrindavan unterwegs ist, einer kleinen Stadt südlich von Delhi, die auch als *Stadt der weißen Witwen* bekannt ist. Lackshmama hat ihren Mann vor einigen Monaten verloren, er ist an einer Grippe gestorben. Nach seinem Tod hat seine Familie, bei der sie lebte, sie verstoßen. In ihren Worten schwingt Bitterkeit mit, als sie berichtet, was es bedeutet, Witwe zu sein. In Indien werden Witwen verflucht, sie haben sich in den Augen der anderen schuldig gemacht, weil sie die Seele des Verstorbenen nicht zu halten wussten. Manchmal unterstellt man ihnen sogar, durch Hexerei die Krankheit oder den Tod ihres Mannes herbeigeführt zu haben. Wenn er bei einem Unfall ums Leben gekommen ist, haben sie kein Recht auf die Auszahlung einer Versicherung, und sollte er im Krieg gefallen sein, beziehen sie ebenfalls keine Rente. Es heißt, allein der Anblick einer Witwe bringe Unglück, und nur ihrem Schatten zu begegnen gilt als schlechtes Omen. Witwen dürfen weder an Hochzeiten noch an anderen Feierlichkeiten teilnehmen, man zwingt sie, sich zu verstecken, weiße Kleidung zu tragen und Buße zu tun. Oft werden sie von ihrer eigenen Familie vor die Tür gesetzt. Mit zitternder Stimme erwähnt Lackshmama die grausame

Sati-Tradition, die eine Witwe früher zur Selbst-verbrennung auf dem Scheiterhaufen ihres ver-storbenen Mannes verurteilte. Verweigerte sie sich diesem Selbstopfer, wurde sie geächtet, geschlagen oder erniedrigt, manchmal auch mit Gewalt in die Flammen gestoßen – von der angeheirateten Fami-lie oder sogar ihren eigenen Kindern, die damit die Aufteilung des Erbes verhindern wollten. Bevor man eine Witwe aus der Gemeinschaft ausschließt, nimmt man ihr sämtlichen Schmuck ab und nötigt sie, sich den Schädel kahl zu rasieren, damit sie nur ja keinen Reiz mehr auf Männer ausübe – dabei ist es ihr ohnehin untersagt, sich wiederzuverheiraten, unabhängig davon, wie alt sie ist. In ländlichen Re-gionen, wo die Mädchen sehr jung verheiratet wer-den, gibt es Witwen, die erst fünf Jahre alt sind, die praktisch ihr ganzes Leben verwirkt haben und mit Betteln verbringen müssen.

Aber so ist es nun mal, seufzt Lackshmama. Wenn man keinen Mann mehr hat, hat man gar nichts mehr.

Smita nickt stumm. Sie weiß: Eine Frau verfügt über keinerlei eigene Besitztümer, mit der Hoch-zeit schenkt sie ihrem Ehemann alles, was sie hat. Verliert sie ihn, hört sie auf zu existieren. Lack-shmama besitzt nichts mehr außer einem einzigen

Schmuckstück, das sie rechtzeitig unter ihrem Sari verstecken konnte – es ist das Hochzeitsgeschenk ihrer Eltern. Den Tag ihrer Eheschließung hat sie dennoch in glücklicher Erinnerung, in prächtigen Gewändern und mit reichlich Schmuck wurde sie unter lautem Jubel von ihrer Familie in den Tempel geführt, wo die Zeremonie stattfand. Ihre Ehe hatte so glanzvoll begonnen – und endete so elendig. Es wäre ihr lieber gewesen, gesteht Lackshmama, ihr Mann hätte sie verlassen oder verstoßen, zumindest wäre sie dann gesellschaftlich nicht auf den Rang eines Paria abgerutscht. Vielleicht hätten ihre Angehörigen in irgendeiner Form Mitleid gezeigt, so brächten sie ihr nur Verachtung und Feindseligkeit entgegen. Sie wäre gern als Kuh auf die Welt gekommen, dann würde man sie respektieren. Smita wagt nicht, ihr zu sagen, dass sie selbst ihren Mann, ihr Dorf und alles, was ihr vertraut war, aus freien Stücken verlassen hat. In diesem Augenblick, da sie Lackshmamas Worten lauscht, fragt sie sich, ob sie nicht einen schrecklichen Fehler begangen hat. Die junge Witwe offenbart ihr, dass sie sich umbringen wollte und es nur deswegen nicht getan habe, weil sie fürchtete, die Familie ihres verstorbenen Mannes könnte ihre Söhne töten, um sich das Erbe unter den Nagel zu reißen, so was sei schon vorgekommen. Nun aber hat sie sich entschieden, mit den Kindern ins Exil nach Vrindavan zu gehen. Angeblich haben Tausende Frauen dort Zuflucht gefunden, sie leben in karitativen Meditationszentren, sogenannten Witwenhäusern, oder auch auf der Straße. Für eine Schale Reis oder Suppe singen sie in den Tempeln Gebete zu Ehren Krishnas und verdienen sich damit ihren mageren Lebensunterhalt – sie bekommen eine Mahlzeit pro Tag, nicht mehr.

Smita hat Lackshmama aufmerksam zugehört, ohne sie ein einziges Mal zu unterbrechen. Wie alt die junge Witwe wohl ist? Vermutlich kaum älter als Smita selbst. Als sie nachfragt, antwortet Lackshmama, dass sie es nicht genau wisse – um die dreißig, glaubt sie. Ihr Gesicht wirkt jugendlich, findet Smita, ihre Augen sind lebendig, auch wenn eine unendliche, gleichsam tausendjährige Traurigkeit von ihnen ausgeht.

Der Moment ist gekommen, da Lackshmama ihren Zug nehmen muss. Smita dankt ihr für die Mahlzeit und verspricht, für sie und ihre Kinder zu beten. Sie sieht ihr nach, wie sie sich in Richtung Bahnsteig entfernt, den jüngeren Sohn auf dem Arm, den anderen an der Hand, in einer kleinen Tüte ihre bescheidenen Habseligkeiten. Während ihre Gestalt sich in der Menge der wartenden Fahrgäste verliert, tastet Smita nach dem Bild Vishnus unter ihrem Sari und bittet ihn, Lackshmama auf ihrer Reise und in ihrem Exil zu begleiten und zu beschützen. Sie muss an die Millionen Witwen denken, die dasselbe Schicksal teilen, die auf sich allein gestellt sind und mittellos ihr Dasein fristen, in einem Land, das sie vergessen hat, einem Land, das Frauen ganz offenbar geringschätzt. Und plötzlich empfindet sie Dankbarkeit, dass sie Smita ist, dass sie, wenngleich als Dalit geboren, aufrecht und unversehrt durch die Welt gehen kann, mit der Perspektive auf ein besseres Leben – vielleicht.

Ich wäre lieber nicht geboren, hat Lackshmama zu ihr gesagt, bevor sie fortging.

Giulia
Palermo, Sizilien

Als Giulia ihrer Mutter und ihren Schwestern mit-
teilt, wie es um die Werkstatt steht, bricht Francesca in Tränen aus. Adela sagt nichts, sie legt
eine gelangweilte Gleichgültigkeit an den Tag, als
ginge sie das alles nichts an – typisch Teenager. Die
Mamma schweigt, doch dann verliert sie auf einmal
die Fassung. Sie, die sonst so fromm und demütig
ist, klagt Gott bitter an, dass er all das Unglück über
ihre Familie bringt. Erst ihr Mann, nun die Werkstatt … Was haben sie verbrochen, welche Sünde
haben sie begangen, dass sie eine solche Strafe verdienen?! Was soll aus ihren Kindern werden? Adela
geht noch zur Schule. Francesca hat einen armen
Schlucker geheiratet und Mühe genug, mit ihren
Kindern über die Runden zu kommen. Und was
Giulia angeht – sie kennt nichts anderes als den Beruf, den ihr der Vater beigebracht hat. Ihr Vater, der
ausgerechnet jetzt nicht bei ihnen ist.

In dieser Nacht weint die *Mamma* viele Stunden lang, beweint das Schicksal ihres Mannes und das Pech ihrer Töchter, weint wegen des Hauses, das man ihnen wegnehmen wird – nur sich selbst beweint sie nie. Als am Morgen die ersten Sonnenstrahlen durchs Fenster scheinen, kommt ihr plötzlich eine Idee: Gino Battagliola ist seit Jahren unsterblich in Giulia verliebt, er träumt davon, sie zu heiraten. Das weiß jeder. Seine Familie hat Geld, sie besitzt Friseursalons im ganzen Land. Die Eltern des Jungen haben sich den Lanfredis stets offenherzig und freundschaftlich verbunden gefühlt. Vielleicht wären sie bereit, die Hypothek für das Haus zu übernehmen? ... Das würde zwar die Werkstatt noch nicht vor dem Ruin bewahren, aber zumindest hätten sie weiterhin ein Dach über dem Kopf. Ihre Töchter wären in Sicherheit. Ja, überlegt die *Mamma*, diese Ehe wäre ihre Rettung.

Als sie Giulia davon erzählt, gerät ihre Tochter außer sich. Niemals werde sie Gino Battagliola heiraten. Lieber würde sie auf der Straße schlafen! Nicht, dass er unangenehm wäre, sie hat ihm nichts vorzuwerfen, aber sie findet ihn langweilig, völlig reizlos. Sie begegnet ihm häufig in der Werkstatt. So schlaksig, wie er ist, und mit seinem Haarwirbel erinnert er sie an eine dieser Witzfiguren aus

Dino Risis *I Mostri*, der Lieblingskomödie ihres Vaters.

Er ist eine gute Partie, erwidert ihre Mutter, Gino ist ein netter Kerl, und er ist wohlhabend. Giulia würde es ganz bestimmt an nichts fehlen. An nichts, außer am Wesentlichen, hält Giulia dagegen. Sie will sich für diese Sache nicht hergeben, sie will sich nicht in einen goldenen Käfig sperren lassen. Eine Vernunftehe, ein Leben nur um des äußeren Scheins willen, zum Teufel damit. Andere haben sich damit gut arrangiert, bemerkt die *Mamma*, und Giulia weiß, dass sie recht hat.

Ihre Mutter hat eine glückliche Ehe geführt, obwohl Pietro Lanfredi nie ihre große Liebe war. Sie hat seinem Werben nur nachgegeben, weil sie mit dreißig immer noch ledig war. Die Liebe ist mit der Zeit gekommen. Trotz seines aufbrausenden Temperaments ist Giulias Vater ein guter Ehemann gewesen, der ihr Herz zu erobern wusste. Genauso könnte es ihr, Giulia, doch auch ergehen.

Giulia geht hoch in ihr Zimmer und schließt sich ein. Sie kann sich nicht mit dem Gedanken anfreunden. Sie muss immerzu an Kamals glühende Haut denken, sie will nichts anderes. Wie schrecklich, sich in ein kühles Ehebett legen zu müssen und unter eiskalten Laken auszuharren, wie die Heldin in *Die Frau im Mond*, dem sardischen Roman, der Giulia nachhaltig erschüttert hat: Die Protagonistin hat die Hoffnung aufgegeben, dass sie für den Mann, den sie geheiratet hat, eines Tages etwas empfinden wird, und irrt verzweifelt durch die Straßen auf der Suche nach ihrer verlorenen Liebe. Giulia kann sich ein Leben ohne körperliche Leidenschaft nicht vorstellen. Ihr kommen die Worte der *Nonna* in den Sinn: *Mach, was du willst, mia cara, aber heirate bloß nicht.*

Doch gibt es einen anderen Ausweg? Soll sie in Kauf nehmen, dass ihre Mutter und ihre Schwestern auf der Straße landen? Das Leben ist ungerecht, sagt sie sich, das Gewicht der ganzen Familie lastet allein auf ihren Schultern.

Ihr ist an diesem Tag nicht danach zumute, Kamal zu treffen, obwohl er sicher schon auf sie wartet. Stattdessen führen ihre Schritte sie unwillkürlich zu der kleinen Kirche, die ihr Vater so gern mochte – sie zuckt zusammen, als ihr bewusst wird, dass sie bereits in der Vergangenheitsform an ihn denkt. Er lebt noch, ermahnt sie sich selbst.

Sie betet nie, aber plötzlich spürt sie ein großes Bedürfnis nach innerer Ruhe. Um diese Uhrzeit ist die Kapelle menschenleer. Die Atmosphäre in dem kleinen Raum vermittelt den Eindruck, als befände man sich fernab der Welt, oder vielmehr mitten in ihrem Herzen. Liegt es an der gedämpften Stille, der angenehm kühlen Luft, an dem leichten Duft nach Weihrauch, dem Echo ihrer Schritte auf dem Stein? Giulia hält inne. Schon früher war sie jedes Mal ergriffen gewesen, sobald sie einen Fuß über die Schwelle einer Kirche setzte, als beträte sie heiliges Terrain, einen Kosmos voller Geheimnisse, in dem die Seelen aus vielen Jahrhunderten sich versammelten. Es brennen ein paar Kerzen, wie immer, und sie fragt sich, wer im allgemeinen Trubel des Weltgeschehens eigentlich noch die Zeit findet, dafür zu sorgen, dass die flüchtigen Flammen nie erlöschen.

Sie wirft eine Münze in die Kiste, nimmt eine frische Kerze und stellt sie neben die anderen auf den Aufsteller. Sie zündet sie an und schließt die Augen. Leise beginnt sie ein Gebet zu sprechen. Sie bittet Gott darum, ihr den Vater zurückzugeben und ihr die Kraft zu schenken, das Leben zu akzeptieren, wie es ist, auch wenn sie es sich nicht ausgesucht hat. Das Unglück der Lanfredis fordert einen hohen Tribut, sagt sie sich.

Es müsste ein Wunder geschehen, um sie aus ihrer misslichen Lage zu befreien.

Aber im echten Leben gibt es keine Wunder. Wunder kommen in der Bibel vor oder in den Geschichten, die man kleinen Kindern vorliest. Die Zeit, in der sie an Märchen glauben durfte, ist vorbei. Der Unfall ihres Vaters hat sie auf einen Schlag erwachsen werden lassen. Damit hatte sie nicht gerechnet. Es war so schön und so bequem, noch nicht ganz auf eigenen Beinen stehen zu müssen, ein Gefühl wie ein warmes Bad, das man nicht verlassen möchte. Doch jetzt ist der Moment der Reife gekommen, und er ist unbarmherzig. Der Traum ist vorbei.

Diese Hochzeit ist die einzige Lösung. Giulia hat das Problem hundertmal in ihrem Kopf gedreht und gewendet. Gino wird die Hypothek übernehmen, mit der ihr Haus belastet ist. Wenn die Werkstatt auch dem Untergang geweiht ist, ihre Familie wird auf diese Weise einer Katastrophe entkommen. Der Meinung ist zumindest ihre Mutter, und es wäre das, was ihr Vater gewollt hätte. Letzteres ist für Giulia das entscheidende Argument.

Am Abend schreibt sie Kamal. Sie hofft, dass die Worte auf dem Papier weniger grausam wirken. In ihrem Brief legt sie ihm die desaströse Lage dar, in der sich die Werkstatt befindet, und welche Bedrohung daraus für ihre Familie erwächst. Sie schreibt, dass sie heiraten wird.

Sie haben einander schließlich keine Versprechungen gemacht. Sie hat nie eine Zukunft mit ihm geplant, hat sich nie vorgestellt, dass ihre Beziehung von Dauer sein könnte. Sie sind in unterschiedlichen Kulturen aufgewachsen, haben nicht dieselbe Religion, nicht dieselben Traditionen. Auch wenn ihre Sinnlichkeit so gut aufeinander abgestimmt ist. Kamals Körper erscheint Giulia wie das perfekte Gegenstück zu ihrem eigenen. In seiner Nähe fühlt sie sich lebendiger, als sie es je gewesen ist.

Ihr starkes Verlangen nach diesem Mann ist verstörend, es quält sie, hält sie nächtelang wach, lässt sie morgens sehnsüchtig aufstehen und jeden Tag in seine Arme zurückkehren. Dabei kennt sie ihn kaum, weiß nichts oder nur sehr wenig über ihn, trotzdem wühlt er sie auf wie kein Mann zuvor.

Es ist keine Liebe, meint sie zu wissen und versucht, sich davon zu überzeugen. Es ist etwas anderes. Und darauf muss ich nun verzichten.

Sie weiß nicht einmal, wohin sie den Brief schicken soll. Sie hat keine Ahnung, wo Kamal wohnt. Er teile sich ein Zimmer mit einem anderen Arbeiter, hat er ihr einmal gesagt, in einem Viertel am Stadtrand. Aber es spielt keine Rolle, sie wird den Brief in der Grotte deponieren, in der sie sich immer treffen, wird ihn unter eine Muschel neben den

Felsen legen, in dessen Schutz sie sich so oft geliebt haben.

Ihre Geschichte endet hier, sagt sie sich, so zufällig, wie sie begonnen hat.

Giulia kann die ganze Nacht kein Auge zutun. Der Schlaf ist ihr abhandengekommen, seit sie im Büro des *Papa* die Tiefen der Schublade erforscht hat. Sie verbringt ihre Nächte damit, die Stunden zu zählen, aus Angst, dass der nächste Tag nicht mehr anbrechen könnte. Es gelingt ihr nicht einmal mehr zu lesen. Reglos wie ein Stein liegt sie da, gefangen in der Dunkelheit.

Sie wird die Arbeiterinnen über die Schließung der Werkstatt informieren müssen. Sie weiß, dass es an ihr ist, das zu tun – sie kann dabei weder auf ihre Schwestern noch auf ihre Mutter zählen. Sie wird diese Frauen, die ihr nicht nur liebe Kolleginnen, sondern Freundinnen sind, entlassen müssen. Und es wird nichts geben, was sie trösten kann, sie können lediglich ihre bitteren Tränen teilen. Giulia weiß, was die Werkstatt jeder Einzelnen von ihnen bedeutet. Manche haben fast ihr ganzes Leben dort verbracht. Was wird aus der *Nonna* werden? Wer wird sie noch einstellen wollen? Alessia, Gina, Alda – sie sind über fünfzig, ein kritisches Alter auf dem Arbeitsmarkt. Was wird Agnese machen? Sie sorgt allein für ihre Kinder, seit ihr Mann sie verlassen hat. Und Federica, die keine Eltern mehr hat, die ihr helfen könnten? … Giulia hat versucht, diesen Moment hinauszuzögern wie eine Operation, von der man weiß, dass sie schmerzhaft wird. Aber sie muss sich der Situation stellen. Morgen werde ich mit ihnen sprechen, nimmt sie sich vor. Ein Gedanke, der ihr endgültig den Schlaf raubt.

Es passiert gegen zwei Uhr.

Ein Kiesel trifft an ihr Fenster, mitten in der Nacht. Giulia schreckt hoch. Als ein zweiter Stein gegen die Scheibe prallt, nähert sie sich vorsichtig dem Fenster: Auf der Straße steht Kamal und sieht zu ihr nach oben. In der Hand hält er ihren Brief.

Giulia! Komm runter, ich muss mit dir reden!

Giulia bedeutet ihm, still zu sein. Sie hat Angst, dass er ihre Mutter aufweckt. Doch Kamal rührt sich nicht vom Fleck. Schließlich schlüpft Giulia in ihre Kleidung und eilt zu ihm hinunter.

Du bist verrückt, sagt sie. Was machst du hier?

Und dann geschieht das Wunder.

Sarah
Montreal, Kanada

Es ist ein schleichender Prozess. Zunächst vergisst man, sie zu einer Besprechung einzuladen. *Wir wollten dich nicht damit behelligen*, heißt es später. Dann ist es ein neuer Fall, von dem man ihr nicht erzählt. *Du hast im Augenblick genug andere Sorgen.* Lauter Phrasen, die vermeintlich Mitgefühl ausdrücken, fast könnte man daran glauben. Doch Sarah will keine Rücksichtnahme, sie will wie gewohnt arbeiten und dafür geschätzt werden. Sie braucht keine Schonung. Und es stört sie, dass man sie in letzter Zeit weniger in Kanzleiinterna, Entscheidungsprozesse, schwierige Fälle einbindet. Man versäumt es, sie über gewisse Dinge zu informieren, bittet andere Kollegen um Rat.

Seit ihre Krankheit offiziell ist, wurde Cursts Position aufgewertet. Sarah sieht ihn nun öfter mit Johnson im Gespräch, hört ihn über die Scherze des

Alten lachen, bekommt mit, dass er ihn zu seinen Mittagsterminen begleitet. Inès, ihrerseits, nimmt sich immer mehr Freiheiten bei der Bearbeitung der Fälle heraus, ohne Sarah vorher zu konsultieren. Als diese sie zur Ordnung ruft, erwidert die Junioranwältin in scheinheiligem Bedauern, dass Sarah ja *nicht da*, beziehungsweise nicht *ansprechbar* – das heißt: im Krankenhaus – gewesen sei. Inès nutzt die Abwesenheiten ihrer Vorgesetzten, um an ihrer Stelle Entscheidungen zu treffen und sich bei Besprechungen einzuschalten. Neuerdings scharwenzelt sie auffällig um Curst herum, hat sogar angefangen zu rauchen, wahrscheinlich nur, so vermutet Sarah, um die Zigarettenpausen mit ihrem neuen Mentor zu verbringen. Man weiß ja nie, ob dabei nicht eine Beförderung herausspringt …

Inzwischen hat Sarah im Krankenhaus mit der Therapie begonnen. Gegen den Rat ihres Onkologen nimmt sie sich dafür keine freien Tage. Abwesend zu sein bedeutet, Platz zu machen, Terrain abzugeben – ein zu riskantes Spiel. Sie muss durchhalten, um jeden Preis. Tapfer steht sie jeden Morgen auf und geht zur Arbeit. Der Krebs wird ihr nicht nehmen, was sie sich über Jahre aufgebaut hat. Sie wird kämpfen, ihr Revier mit Zähnen und Klauen verteidigen. Allein dieser Gedanke hält sie aufrecht, gibt ihr die nötige Kraft, Energie und Entschlossenheit.

Der Onkologe hat sie gewarnt: Die Behandlung wird anstrengend sein und außerdem Nebenwirkungen haben. Er hat eine ausführliche Liste dazu erstellt und ihr eine Tabelle mitgegeben, in der exakt festgehalten ist, wann sie mit Übelkeit zu rechnen hat, wie und wann sich die Therapie auf ihren Haarwuchs, ihre Nägel, ihre Augenbrauen, ihre Haut, ihre Hände und Füße auswirken wird. Kurzum, was sie Tag für Tag in den kommenden Monaten erwartet. Mit einem Dutzend Rezepten in der Tasche – gegen jede Folgeerkrankung eines – ist Sarah nach Hause gegangen.

Was der Arzt ihr allerdings nicht gesagt hat, worüber niemand sie aufgeklärt hat, ist eine Begleiterscheinung, die weit unangenehmer ist als das Hand-Fuß-Syndrom, schlimmer als jede Übelkeit und kognitive Störung. Ein Nebeneffekt, gegen den keines ihrer Rezepte hilft: die Ausgrenzung, die mit der Krankheit einhergeht, die schmerzhafte Erfahrung, allmählich aufs Abstellgleis geschoben zu werden.

Am Anfang scheut Sarah sich, klar zu benennen, was in der Kanzlei vor sich geht. Sie bemüht sich, die »Vergesslichkeit« der Kollegen und das Desinteresse, mit dem Johnson ihr neuerdings begegnet, zu ignorieren. Wobei das Wort Desinteresse es nicht ganz trifft, es ist vielmehr eine distanzierte Haltung, die er ihr gegenüber einnimmt, der Austausch zwischen ihnen ist eigenartig abgekühlt. Es braucht mehrere Wochen, in denen man sie nicht um ihre Teilnahme an Geschäftsterminen und an Konferenzen bittet, ihr keine großen Fälle mehr anvertraut oder neue Mandanten vorstellt, bis sie die Gewissheit hat: Man ist dabei, sie kaltzustellen.

Diese Form der Gewalt trägt einen Namen, es fällt ihr schwer, ihn laut auszusprechen: Diskriminierung. Hunderte Male ist dieser Begriff in ihren Prozessen gefallen, nie musste sie ihn auf sich persönlich beziehen – zumindest glaubte sie das. Dabei kann sie die Definition auswendig hersagen: *Diskriminierung meint jede Ungleichbehandlung einer Person aufgrund ihrer Herkunft, ihres Geschlechts, ihrer familiären Situation, ihrer Schwangerschaft, ihres Aussehens, ihres Familiennamens, ihres Gesundheitszustands, ihrer Behinderung, ihrer genetischen Voraussetzungen, ihrer Sitten, ihrer sexuellen Orientierung oder Identität, ihres Alters, ihrer politischen Meinung, ihrer gewerkschaftlichen Tätigkeit, ihrer tatsächlichen oder vermuteten Zugehörigkeit oder Nichtzugehörigkeit zu* einem bestimmten Volk, einer bestimmten ethnischen Gruppe, Rasse oder Religionsgemeinschaft. Manchmal wird der Begriff mit dem der »Stigmatisierung« in Verbindung gebracht, so wie ihn der Soziologe Erving Goffman definiert: *Merkmal, das eine Person von der Kategorie unterscheidet, der man sie zuordnen würde.* Trifft dies zu, spricht man davon, dass diese Person *stigmatisiert* ist, sie steht im Widerspruch zu den anderen, die Goffman die *Normalen* nennt.

Sarah weiß jetzt: Sie ist stigmatisiert. In einer Gesellschaft, die Jugendlichkeit und Leistungsfähigkeit preist, haben Kranke und Schwache keinen Platz. Sie, die zur Welt der Mächtigen gehörte, ist ins Wanken geraten und im Begriff, sich auf der anderen Seite wiederzufinden.

Welche Maßnahme kann sie dagegen ergreifen? Im Kampf gegen die Krankheit ist sie gewappnet, es gibt bewährte Behandlungsmethoden und Ärzte, die ihr beistehen. Aber existiert ein Mittel gegen Ausgrenzung? Man ist dabei, ihr den Stuhl vor die Tür zu setzen, sie in den Wandschrank zu sperren, was kann sie tun, um ihr Schicksal wieder in andere Bahnen zu lenken?

Sich wehren, ja, aber wie? Soll sie Johnson wegen Diskriminierung vor Gericht bringen? Das würde ihre Kündigung implizieren. Wenn sie geht, wird sie keinerlei Unterstützung erhalten und durch die Maschen des sozialen Netzes fallen. Sie könnte sich einen neuen Job suchen. Aber wer würde sie mit ihrer Krebserkrankung schon einstellen? Eine eigene Kanzlei gründen? Ein verführerischer Gedanke, für dessen Umsetzung sie allerdings einiges Kapital investieren müsste. Und es ist bekannt, dass die Banken ihre Kredite nur an Menschen vergeben, die bei guter Gesundheit sind. Davon abgesehen, welche Mandanten würden ihr folgen? Sie könnte ihnen nichts versprechen, nicht einmal, dass sie in einem Jahr noch da ist, um ihre Interessen zu vertreten.

Sie erinnert sich an die tragische Geschichte einer Arzthelferin, die vor einigen Jahren von einem ihrer Kollegen verteidigt wurde. Die Frau klagte über Kopfschmerzen und vertraute sich dem Arzt an, in dessen Praxis sie angestellt war. Er untersuchte sie und bat sie noch am selben Abend zu einem Gespräch, in dessen Verlauf er ihre Kündigung aussprach: Sie hatte Krebs. Natürlich wurden »wirtschaftliche« Gründe vorgeschützt, doch davon ließ sich niemand täuschen. Die Verhandlungen zogen sich über drei Jahre hin, am Ende gewann die Frau den Prozess. Kurz darauf starb sie.

Die Gewalt, die man Sarah antut, ist sanfterer

Natur. Sie gibt sich nicht gleich zu erkennen. Sie ist hinterhältiger und deswegen schwieriger nachzuweisen. Dennoch ist sie real.

Eines Morgens im Januar ruft Johnson sie in sein Büro in der obersten Etage. Er erkundigt sich nach ihrem Befinden und tut so, als würde ihn die Frage ernsthaft beschäftigen. Sarah erwidert, es gehe ihr gut, danke. Ja, sie mache eine Chemotherapie. Woraufhin Johnson einen entfernten Cousin erwähnt, dessen Krebs vor zwanzig Jahren behandelt wurde und der sich heute bester Gesundheit erfreue. Sarah kann diese Heilungsgeschichten, die man ihr bei jeder Gelegenheit wie einen saftigen Knochen hinwirft, nicht mehr hören. Für sie ändert sich dadurch nichts. Sie könnte Johnson entgegenhalten, dass ihre Mutter an Krebs gestorben ist, dass sie selbst leidet wie ein Hund, dass er sich sein geheucheltes Mitgefühl sparen kann. Er hat keine Ahnung, wie es sich anfühlt, den Mund voller Aphten zu haben und kaum mehr in der Lage zu sein, etwas zu essen. Er weiß nicht, wie es ist, wenn einem die Füße so sehr brennen, dass man am Ende des Tages keinen Schritt mehr tun kann, wenn man so erschöpft ist, dass die kleinste Treppe wie ein unüberwindbares Hindernis erscheint. Ihm ist es doch letztlich egal, dass sie in absehbarer Zeit keine Haare mehr haben wird und vor ihrem eigenen Spiegelbild erschrickt, weil sie so abgemagert ist. Was kümmert es ihn, dass sie unsagbare Ängste aussteht – vor körperlichen Schmerzen, vor dem Tod –, und nachts nicht mehr schlafen kann, dass sie sich dreimal am Tag übergeben muss, manchmal morgens aufwacht und nicht weiß, wie sie die nächsten Stunden überstehen wird. Er soll sich zum Teufel scheren mit seiner Selbstgerechtigkeit. Und sein Cousin gleich mit ihm.

Doch wie immer bleibt Sarah höflich.

Schon bald kommt Johnson zum eigentlichen Punkt: Er will, dass ihr im Fall Bilgouvar ein Partner zur Hand geht. Sarah ist sprachlos. Sie braucht einen Moment, um sich zu fassen und zu protestieren. Bilgouvar ist seit Jahren ihr Mandant, sie braucht keine Hilfe, um seine Interessen zu vertreten. Johnson seufzt und erwähnt die einzige Besprechung, bei der sie mit Verspätung aufgetaucht ist – sie war frühmorgens vor der Arbeit im Krankenhaus gewesen. Das MRT-Gerät funktionierte nicht – das ist wirklich Pech, hatte der Techniker gemeint, so etwas kommt alle drei Jahre mal vor. Sarah hatte sich beeilt, um ihre Verspätung wieder auszubügeln, war völlig außer Atem in der Kanzlei angekommen, die

Sitzung hatte gerade erst begonnen. Natürlich will Johnson nichts davon hören, ihre Erklärungen interessieren ihn nicht, sie soll diesen Kleinkram für sich behalten. Glücklicherweise war Inès ja da. Wie immer pünktlich, fügt er hinzu, und perfekt vorbereitet. Dann spricht er noch Sarahs Zusammenbruch während einer Gerichtsverhandlung an, die, wie er betont, deswegen vertagt werden musste. Und schließlich schlägt er den honigsüßen Ton an, den Sarah so an ihm hasst, behauptet, er-habe-vollstes-Verständnis-dafür-wenn-sie-aus-gesundheitlichen-Gründen-kürzertreten-müsse, alle-hier-hofften-sie-werde-so-schnell-wie-möglich-genesen, er beherrscht diese hohlen Formeln perfekt, er-werde-sich-persönlich-dafür-einsetzen-dass-Sarah-jedwede-Unterstützung-bekomme-die-sie-braucht, das-sei-schließlich-die-Aufgabe-einer-Kanzlei-deren-Herz-ein-kollegiales-Miteinander-ist. Um-sie-in-dieser-schwierigen-Zeit-zu-entlasten-wird-er-ihr-jemanden-an-die-Seite-stellen … Gary Curst.

Wenn Sarah nicht sitzen würde, wäre sie umgefallen.

Ihr wäre alles, wirklich alles lieber, als das, was sie gerade erleben muss.

Sie wäre lieber entlassen oder suspendiert worden.

Sie hätte sich lieber ohrfeigen oder beleidigen lassen, dann wäre die Sache zumindest klar gewesen. Aber diese Art des Mobbings, diese ganz allmähliche Liquidation ist unerträglich. Sie kommt sich vor wie ein sterbender Stier in der Arena. Sie weiß, dass jeder Widerstand sinnlos ist, keines der Argumente, die sie vorbringen könnte, wird den Lauf der Dinge ändern. Ihr Schicksal ist besiegelt, Johnson hat sein Urteil gesprochen. Krank wie sie ist, bringt sie ihm nichts mehr. Bei ihr hat er keine Aktien mehr.

Curst wird den Fall Bilgouvar in Windeseile an sich reißen und ihr damit den wichtigsten Mandanten abspenstig machen. Johnson weiß es. Gemeinsam nehmen sie Sarah aus, während sie am Boden liegt. Sie möchte schreien, möchte wie ihre Kinder, wenn sie spielen, laut brüllen: Haltet den Dieb! Doch genauso gut könnte sie in die Wüste rufen. Es ist niemand da, der sie hört, niemand, der ihr zu Hilfe eilen wird. Die Räuber sind seriös gekleidet, man ahnt nicht, was sie da treiben, auf den ersten Blick wirkt ihr Tun sehr ehrenhaft. Ihr Verbrechen sieht schick aus, duftet gut, ein Verbrechen im Dreiteiler.

Es ist die Rache des Gary Curst. Mit dem Fall Bilgouvar steigt er zum wichtigsten Partner der Kanzlei auf, ein idealer Nachfolger für Johnson. Er ist nicht krank, nicht angeschlagen, er ist in Topform – wie ein satter Vampir, der sich am Blut der anderen geweidet hat.

Am Ende des Gesprächs sieht Johnson Sarah betrübt an und verabschiedet sie mit den grausamen Worten: *Sie sehen müde aus. Sie sollten nach Hause gehen und sich ausruhen.*

Zerschlagen kehrt Sarah in ihr Büro zurück. Sie wusste, sie würde einiges einstecken müssen, aber mit einem so harten Schlag hat sie nicht gerechnet. Nur wenige Tage später, und für Sarah kaum überraschend, wird die große Neuigkeit verkündet: Curst ist zum Geschäftsführer berufen worden, er folgt Johnson an die Spitze der Kanzlei – eine Nominierung, die das Ende von Sarahs Karriere einläutet.

An diesem Tag verlässt sie das Büro bereits am frühen Nachmittag. Eine ungewohnte Uhrzeit für sie, niemand ist zu Hause. Alles ist ruhig. Sie sinkt auf ihr Bett und lässt ihren Tränen freien Lauf. Sie denkt an die Frau, die sie gewesen ist, die sie gestern noch war, eine starke, entschlossene Frau, die ihren Platz in der Welt hatte – und plötzlich von der Welt im Stich gelassen wird.

Nichts fängt sie in diesem Moment auf.

Es ist der Beginn ihres Abstiegs.

Heute Morgen ist einer der Fäden gerissen.
Es kommt selten vor.
Doch nun es ist passiert.

Eine erdrutschartige Katastrophe
im mikroskopischen Ausmaß,
sie macht das Werk zahlreicher Tage zunichte.

Ich denke in diesem Moment an Penelope,
wie sie unermüdlich am Tage wiederherstellt,
was sie in der Nacht zerstört hat.

Ich muss von vorn beginnen.

Es wird ein schönes Modell,
dieser Gedanke tröstet mich.
Ich darf den Faden nicht verlieren,
ich muss mich daran festhalten.

Neu ansetzen und weitermachen.

Smita

Varanasi, Uttar Pradesh, Indien

Als der Morgen dämmert, fährt Smita erschreckt aus dem Schlaf hoch, Lalita schlummert in ihren Armen. Hunderte Menschen rennen auf dem Bahnsteig an ihnen vorbei, reißen alles mit sich, was sich ihnen in den Weg stellt, um ja den Zug zu erreichen, der soeben eingefahren ist. Panisch weckt sie ihre Tochter.

Wach auf, der Zug ist da! Schnell!

In aller Eile rafft sie ihre bescheidenen Habseligkeiten zusammen – sie hat auf ihrem Bündel geschlafen, um es vor Dieben zu schützen – und stürzt, Lalita an der Hand, zu den Wagen der dritten Klasse. Es herrscht ein unglaubliches Gedränge, es wird geschubst und getreten, ständig brüllt jemand *Tschalo, tschalo! Los, weiter!* Smita greift nach dem Türgriff eines Waggons, sie muss sich regelrecht daran festklammern, um dem Druck der Masse hinter ihr standzuhalten. Sie versucht, Lalita als Erste in den Wagen zu hieven, sie hat Angst, dass die Kleine zwischen all den ungeduldigen Fahrgästen erdrückt wird. Doch in dem Moment kommen ihr plötzlich Zweifel, sie wendet sich fragend an den dürren Mann neben ihr.

Das ist doch der Zug nach Chennai?, brüllt sie.

Nein!, ruft der Mann. Er fährt nach Jaipur. Man darf der Anzeigentafel nicht vertrauen, die Angaben sind meistens falsch.

Sofort packt Smita ihre Tochter, die es gerade in den Waggon geschafft hat, und bahnt sich mit großer Mühe einen Weg zurück durch die Menge, wie ein Lachs, der gegen den Strom schwimmt.

Nach einigem Hin und Her, mehreren widersprüchlichen Auskünften und dem vergeblichen Versuch, einen Bediensteten zu befragen, finden Smita und Lalita endlich den Zug nach Chennai. Sie steigen in einen blauen Wagen der *Sleeper class*, der weder über eine Klimaanlage verfügt noch sonst einen Komfort bietet und in dem es von Schaben und Mäusen nur so wimmelt. Mühsam dringen sie in einem rappelvollen Abteil zu einem schmalen Platz auf einer Holzbank vor. Mit etwa zwanzig Menschen sitzen sie zusammengepfercht auf einer Fläche von nur wenigen Quadratmetern. Über ihren Köpfen pendeln die Beine von Männern und Frauen, die auf der Gepäckablage kauern. So müssen sie nun mehr als 2000 Kilometer zurücklegen, es wird eine lange Reise werden. Zumal in einem Zug, der im Gegensatz zu dem teureren Express langsam wie ein Omnibus durchs Land rollt und an jeder Station hält. Was für ein Wahnsinn, quer durch Indien zu reisen, sagt sich Smita. Die ganze Menschheit scheint sich, ermattet und nach Luft ringend, in diese Waggons der letzten Klasse zu zwängen. Junge Menschen, Greise, Familien mit Babys füllen, auf dem Boden sitzend oder stehend aneinandergepresst, jeden Kubikzentimeter Raum.

Die ersten Stunden der Reise verlaufen ohne Zwischenfälle. Lalita schläft, Smita dämmert traumlos vor sich hin. Doch plötzlich wacht die Kleine auf, sie muss dringend auf die Toilette. Gemeinsam versuchen sie sich zum Ende des Wagons durchzukämpfen. Ein gewagtes Unternehmen, es ist kaum möglich, sich an den zahlreichen Fahrgästen vorbeizuschlängeln, ohne sie in Mitleidenschaft zu ziehen. Trotz aller Vorsicht tritt Smita einem Mann auf die Hand, der sie sogleich unflätig beschimpft.

Als sie die Toilette endlich erreicht haben, stehen sie vor einer verschlossenen Tür. Smita klopft mehrmals, rüttelt an der Klinke, nichts tut sich. Da können Sie lange warten, sagt eine alte zahnlose Frau, deren Haut von Wind und Sonne gegerbt ist. Die haben sich vor Stunden dort eingeschlossen, eine ganze Familie, sie wollten schlafen. Die kommen bestimmt erst raus, wenn sie aussteigen müssen. Smita trommelt gegen die Tür, droht und fleht. Es bringt nichts, sich die Kehle heiser zu schreien, meint die Alte, das haben andere auch schon versucht.

Meine Tochter muss wirklich dringend aufs Klo, keucht Smita. Die zahnlose Alte deutet auf eine Ecke des Waggons: Soll sie doch dahin machen. Oder den nächsten Halt abwarten. Lalita erstarrt, sie will sich auf keinen Fall vor all diesen fremden Leuten erleichtern, mit ihren sechs Jahren hat sie bereits eine klare Vorstellung davon, was Würde bedeutet. Smita gibt ihr zu verstehen, dass sie keine Wahl hat. Sie können nicht am nächsten Bahnhof aussteigen, der Zug hält immer nur sehr kurz. An der letzten Station musste eine Familie zurückbleiben – sie war in der Menschenmenge eingekesselt und hatte keine Chance, wieder zuzusteigen. Der Zug ist ohne sie abgefahren, hat sie im Nirgendwo stehen lassen, ohne Gepäck.

Lalita schüttelt den Kopf. Sie will warten. Auf einen längeren Halt in ein oder zwei Stunden, am Bahnhof von Jabalpur. Bis dahin wird sie durchhalten.

Während sie sich einen Weg zurück zu ihrem Platz bahnen, durchströmt ein widerlicher Gestank nach Urin und Exkrementen den Wagon. Ein sicheres Zeichen, dass sie den nächsten Bahnhof erreicht haben – die Bewohner der Städte erleichtern sich meistens an den Gleisen. Smita identifiziert diesen Geruch sofort, er ist überall derselbe, er kennt keine Grenzen, keine Kasten, weder arm noch reich. Reflexartig hält sie den Atem an, so wie sie es immer macht, auf ihrer Runde durchs Dorf, und drückt ihrer Tochter und sich selbst ein Tuch an die Nase.

Nie wieder. Das hat sie sich geschworen. Nie mehr nach Luft ringen müssen. Sie will endlich frei atmen, in Würde.

Sie fahren weiter. Der abscheuliche Gestank löst sich allmählich auf, er weicht einem anderen, weniger erdrückenden und dennoch abstoßenden Geruch: nach schwitzenden, aneinandergedrängten Körpern. Es ist bald Mittag, die Hitze in den überfüllten Abteilen, wo ein einfacher Ventilator völlig wirkungslos die stehende Luft durchknetet, ist kaum zu ertragen. Smita reicht Lalita die Wasserflasche, dann nimmt sie selbst ein paar gierige Schlucke.

Der Tag zieht sich in matter Dumpfheit hin. Manche polieren ihre Schuhe inmitten der Menge. Andere starren durch die halb geöffnete Tür auf die vorüberziehende Landschaft oder drängen sich in der Hoffnung auf ein bisschen frische Luft ans Fenster, doch es strömt nur eine tropisch heiße Brise herein. Ein Mann durchmisst den Zug, spricht dabei Gebete und segnet die Mitfahrenden, indem er ihnen Wasser über die Köpfe gießt. Ein Bettler fegt den Boden und verlangt ein paar Münzen für seine Dienste. Jedem, der er es hören will oder nicht, erzählt er von seinem traurigen Schicksal. Er arbeitete mit seiner Familie auf den Feldern, oben, im Norden, als eines Tages ein paar reiche Landbesitzer auftauchten und seinen Vater suchten, der ihnen Geld schuldete. Sie schlugen ihn halb bewusstlos, brachen ihm alle Knochen und rissen ihm die Augen aus den Höhlen. Dann hängten sie ihn an den Füßen auf, vor den Augen der versammelten Familie. Lalita zittert am ganzen Leib, als sie diese finstere Geschichte hört.

Smita verscheucht den Mann mit lauten Worten, er solle gefälligst woanders fegen, hier seien Kinder, denen er Angst einjage.

Neben Smita verkündet eine dicke, schweißgebadete Frau, sie sei unterwegs nach Tirupati, um sich dort im Tempel mit einer Opfergabe erkenntlich zu zeigen. Smita wird hellhörig. Der Sohn der Frau war schwer erkrankt, die Ärzte hatten ihn bereits aufgegeben. Ein Heiler riet ihr damals, in einem Tempel ein Opfer darzubringen, woraufhin ihr Sohn gesund wurde. Jetzt möchte die Frau Vishnu für dieses Wunder danken, indem sie am Fuß seines Standbildes Lebensmittel und Blumenkränze niederlegt. Dafür nimmt sie das Abenteuer von Tausenden Kilometern auf sich. Sie findet die Bedingungen der Reise beschwerlich, aber, seufzt sie, so ist es nun mal: Gott entscheidet darüber, wie mühevoll der Weg ist, der zu ihm führt.

Die Nacht bricht herein. In dem Waggon organisiert man sich so, dass möglichst jeder eine Position findet, die es ihm erlaubt, ein wenig auszuruhen. Die Holzbänke werden zu Pritschen umfunktioniert. Ein unbequemes Schlaflager, trotz allem. Zwischen Lalita, die ihren kleinen Körper an sie kuschelt, und der üppigen Frau liegt Smita im Halbschlaf. Sie denkt an das Versprechen, das sie Vishnu vor ihrer Abreise gegeben hat. Sie muss Wort halten, sagt sie sich.

Und dann, irgendwo auf der Strecke, die den Bundesstaat Chhattisgarh mit Andhra Pradesh verbindet, fasst sie tief in der Nacht einen Entschluss: Lalita und sie werden nicht, wie geplant, nach Chennai durchfahren. Sie werden ihre Reise in Tirupati unterbrechen und auf den heiligen Berg steigen, um ihrem Gott die Ehre zu erweisen. Mit diesem Gedanken schläft Smita endlich ruhigen Herzens ein: Vishnu erwartet sie und ihre Tochter.

Ihr Gott ist bei ihnen, ganz nah.

Giulia
Palermo, Sizilien

Giulia steht mit Kamal auf der Straße, mitten in der Nacht. Sie ist auf einmal nervös in seiner Gegenwart. Was wird er ihr sagen? Dass er sie liebt? Dass er nicht will, dass sie sich trennen? Ganz sicher wird er versuchen, sie von ihrem Vorhaben abzubringen, sie daran hindern wollen, diese absurde Ehe einzugehen. Giulia rechnet mit verzweifelten Umarmungen und herzzerreißenden Abschiedsszenen wie in den melodramatischen Fernsehspielen, die ihre Mutter sich so gern ansieht ... Und trotzdem werden sie auseinandergehen müssen.

Doch Kamal wirkt nicht verzweifelt, nicht einmal sonderlich bewegt. Eher aufgeregt, ungeduldig. In seinen Augen liegt ein seltsamer Glanz. Er spricht leise und schnell, als gäbe er ein Geheimnis preis.

Ich habe vielleicht eine Lösung für die Werkstatt, verkündet er.

Ohne eine weitere Erklärung ergreift er Giulias Hand und läuft mit ihr zum Meer, führt sie zu der Grotte, in der sie sich immer treffen.

In der Dunkelheit fällt es Giulia schwer, seine Gesichtszüge zu erkennen. Er habe ihren Brief gelesen, sagt er: Die Schließung ihres Familienbetriebs lasse sich möglicherweise vermeiden. Es gebe einen Ausweg. Sie starrt ihn ungläubig an – woher rührt diese unerwartete Energie? Kamal, sonst so ruhig, ist plötzlich Feuer und Flamme. Er führt seinen Gedanken aus: Zwar ist es den Sikhs verboten, sich die Haare zu schneiden, doch gilt diese Vorschrift nicht für die Hindus in seinem Land. Ganz im Gegenteil, zu Tausenden pilgern sie in die Tempel, um den Göttern ihre Haarpracht darzubringen. Der Akt, sich scheren zu lassen, wird als heilig angesehen, nicht jedoch die abgeschnittenen Haare. Sie werden später eingesammelt und auf den Märkten verkauft. Manche haben daraus einen echten Handelszweig entwickelt. Wenn es hier an Rohstoffen fehlt, schließt Kamal, muss man sie dort suchen gehen. Und importieren. Es ist die einzige Möglichkeit, die Werkstatt vor der Pleite zu bewahren.

Giulia weiß nicht, was sie sagen soll. Sie schwankt zwischen Verblüffung und Skepsis. Kamals Projekt erscheint ihr wahnwitzig. Indisches Haar, was für eine Idee … Natürlich wäre sie in der Lage, es zu verarbeiten. Sie kennt die Methode ihres Vaters, sie wüsste die Haare so schonend zu entfärben, dass man sie danach problemlos neu färben könnte. Sie verfügt über das entsprechende Wissen und die nötigen Fertigkeiten. Aber die Vorstellung ist ihr nicht geheuer. Importieren, das Wort erscheint ihr beinah barbarisch, wie einer fremden Sprache entlehnt, die in kleinen Familienbetrieben nicht gesprochen wird. Die Haare, mit denen die Lanfredis ihr Geld verdienen, stammen seit jeher aus Sizilien, bei ihnen wird mit lokalen Rohstoffen gehandelt.

Wenn eine Quelle versiegt, muss man sich eine neue suchen, erwidert Kamal. Die Italiener heben ihre Haare nicht mehr auf, die Inder dagegen geben sie freiwillig her. Und zwar in Hülle und Fülle, jedes Jahr. Ihre Haare werden tonnenweise verkauft. Es ist wie Manna, das vom Himmel fällt, der Vorrat ist unerschöpflich.

Giulia ist unsicher, was sie davon halten soll. Die Idee klingt verführerisch, aber schon in der nächsten Sekunde erscheint sie ihr abwegig. Kamal beteuert, dass er ihr helfen wird. Er spricht die Sprache, und er kennt das Land. Er könnte als Bindeglied zwischen Indien und Italien fungieren. Dieser Mann ist wunderbar, denkt Giulia, er glaubt tatsächlich daran, dass alles möglich ist. Sie schilt sich, selbst so skeptisch und kleinmütig zu sein.

Mit glühendem Kopf kehrt sie nach Hause zurück. Ihr Verstand arbeitet auf Hochtouren, ihre Gedanken springen hin und her wie Affen in einem Käfig, unmöglich, sie zur Ruhe zu bringen. Sie kann nicht mehr schlafen, sie braucht es gar nicht erst zu versuchen. Stattdessen schaltet sie ihren Computer ein und verbringt den Rest der Nacht mit fieberhaften Recherchen.

Kamal hat recht. Im Internet stößt sie auf Bilder von Inderinnen und Indern, die ihren Göttern in der Hoffnung auf eine gute Ernte, eine glückliche Ehe oder eine bessere Gesundheit ihre Haare opfern. Bei den meisten handelt es sich um Arme oder Unberührbare, ihr Haupthaar ist das einzig Kostbare, das sie besitzen.

Dann entdeckt Giulia einen Artikel, in dem es um einen englischen Geschäftsmann geht, der mit dem Handel von importierten Haaren ein Vermögen gemacht hat. Inzwischen ist er in der ganzen Welt bekannt und vorzugsweise im Privathelikopter unterwegs. Ihm gehört eine Fabrik in Rom, die tonnenweise mit indischen Haaren beliefert wird. Sobald die Ware am Flughafen Fiumicino ankommt, wird sie in die Industriezone im Norden der Stadt transportiert und in riesigen Hallen weiterverarbeitet. Der Engländer behauptet, die Qualität der indischen Haare sei weltweit unübertroffen. Ausgestreckt am Swimmingpool im Garten seiner römischen Villa, erklärt er, wie sie desinfiziert, entwirrt, in Depigmentierbäder getaucht und dann blond, braun, rot oder kastanienbraun gefärbt werden, so dass sie nicht mehr von europäischen Haaren zu unterscheiden sind. *Wir verwandeln schwarzes Gold in blondes Gold*, sagt er selbstbewusst. Später sortiert man die Strähnen nach ihrer Länge, packt sie in Kartons und verschickt sie rund um den Globus. Als Extensions oder Perücken gelangen sie schließlich zu den Endkunden. 53 Länder, 25 000 Friseursalons, die Zahlen sind schwindelerregend! Sein Unternehmen hat sich in einen multinationalen Konzern gewandelt. Anfangs habe man über ihn und seine Geschäftsidee gelacht. Aber die Firma habe sich prächtig entwickelt. Heute zählt sie 500 Angestellte, Produktionsstätten auf drei Kontinenten und deckt 80 % des weltweiten Handels mit Fremdhaar ab, fügt er stolz hinzu.

Giulia ist sprachlos. Aus Sicht des Engländers erscheint alles so einfach. Wäre sie imstande, ein Unternehmen aufzubauen, so wie er es getan hat? Wie könnte sie einen solchen Kraftakt je bewältigen? Wer ist sie, dass sie glaubt, einem derartigen Projekt gewachsen zu sein? Den Familienbetrieb in ein Industrieunternehmen zu überführen – ist das nicht reine Utopie? Und doch, der Engländer hat es vorgemacht. Wenn es ihm gelungen ist, warum nicht auch ihr?

Mehr als alles andere beschäftigt sie allerdings die Frage, was ihr Vater wohl dazu sagen würde. Könnte sie auf seine Unterstützung setzen? Er hat gern behauptet, dass man groß denken und unternehmerischen Wagemut beweisen müsse. Gleichzeitig hat er hartnäckig an den Wurzeln und der Identität der Werkstatt festgehalten. Echte sizilianische Haare, meinte er immer, wenn er von der Firma sprach. Würde sie ihn verraten, indem sie dieses Geschäftsmodell weiterentwickelte?

Giulia denkt an die Fotos, die in seinem Büro an der Wand hängen, sie zeigen ihn, seinen Vater und seinen Großvater – seit drei Generationen führen die Lanfredis den kleinen Betrieb. Wäre es nicht ein viel größerer Verrat, Kamals Plan nicht in Betracht zu ziehen? Würde sie damit das Lebenswerk dieser drei Männer nicht endgültig zunichte-machen?

Plötzlich will auch sie daran glauben: Sie werden nicht untergehen. Die Werkstatt ist nicht dem Niedergang geweiht. Sie wird Gino Battagliola niemals heiraten. Kamals Idee ist ein Geschenk des Himmels, ein Glück, eine Vorsehung. Wie auf der *Costa Concordia*, dachte sie neulich, als sie die verflixte Schublade hervorgezogen hatte. In diesem Moment kommt es ihr vor, als bewegte sich ein Schiff aus der Dunkelheit auf sie zu, um Hilfe zu leisten, man wirft ihnen Rettungsringe herüber.

Sie denkt an den Tag der heiligen Rosalia zurück, plötzlich ist sie überzeugt, dass sie Kamal nicht zufällig über den Weg gelaufen ist. Er ist ihr geschickt worden. Der Himmel hat ihr Gebet erhört.

Das Zeichen ist da, das Wunder, auf das sie gewartet hat, ist eingetreten.

Smita

Tirupati, Andhra Pradesh, Indien

Tirupati! Tirupati!

Ein Mann schreckt mit seinem Geschrei den ganzen Waggon auf. Kurz darauf kreischen die Bremsen auf den Schienen, der Zug fährt in den Bahnhof von Tirupati ein. Kaum ist er zum Stehen gekommen, ergießen sich Massen von Pilgern auf das Gleis, beladen mit Decken, Taschen, Trinkbechern aus Metall, allerlei Essensvorräten, Blumen, Opfergaben, Kindern, die sie auf dem Arm, und Greisen, die sie auf dem Rücken tragen. Alle drängen zum Ausgang, in Richtung des heiligen Hügels. Smita fühlt sich fortgeschwemmt wie von einem wilden Strom, es ist unmöglich, aus der Menge auszuscheren. Fest drückt sie Lalita an sich, aus Angst, man könnte sie ihr aus den Armen reißen. Der Bahnhof gleicht einem Ameisenhaufen, in dem Zehntausende Insekten durcheinanderkrabbeln. Es heißt, dass täglich 50 000 Pilger hier eintreffen – an Feiertagen verzehnfacht sich diese Zahl –, um Lord Venkateshvara zu huldigen, dem »Herrn der Sieben Hügel«, der als eine Inkarnation der höchsten Gottheit Vishnu gilt. Man spricht ihm die Macht zu, jeden Wunsch, den man an ihn richtet, erfüllen zu können. Im Herzen des Tempels, der auf der Spitze des heiligen Hügels thront und sich über die Stadt zu seinen Füßen erhebt, kann man eine riesige Statue des Gottes bestaunen.

Inmitten all dieser glühenden Seelen wird auch Smita plötzlich von Inbrunst gepackt, genauso wie von großer Furcht. Sie fühlt sich klein und lächerlich in diesem Meer von Menschen, die ihr fremd sind, obwohl sie das gleiche Anliegen verbindet. Sie haben den Weg hierher auf sich genommen in der Hoffnung auf ein besseres Leben oder in dem Wunsch, ihrer Gottheit zu danken: für die Geburt eines Sohnes, die Heilung eines Verwandten, eine gute Ernte, eine glückliche Ehe.

Viele Pilger nehmen den Bus, der sie für 44 Rupien den Berg hinauffährt. Dabei weiß doch jeder, dass eine echte Wallfahrt zu Fuß abgeleistet werden muss. Und Smita ist nicht von so weit hergekommen, um es sich leichtzumachen. Zum Zeichen der

Demut zieht sie ihrer Tochter und sich vor dem Aufstieg die Sandalen aus, so will es die Tradition. 3600 Stufen und fast 15 Kilometer müssen Sie hinter sich bringen, dafür brauchen Sie mindestens drei Stunden!, ruft ein am Straßenrand sitzender Obstverkäufer und preist seine Ware an. Kurz überlegt Smita, ob sie Lalita eine solche Anstrengung zumuten kann, ihre Tochter ist müde, im Zug haben sie kaum schlafen können. Aber es gibt kein Zurück. Sie werden es langsam angehen, in ihrem Tempo, und wenn sie den ganzen Tag benötigen. Vishnu hat seine schützende Hand über sie gehalten und sie sicher hierher geleitet, sie dürfen jetzt nicht aufgeben. Von ihrem wenigen Geld besorgt Smita Kokosnüsse, eine verschlingt Lalita sogleich mit Appetit. Die zweite heben sie als Opfergabe auf, zerschmettern sie, dem Brauch gemäß, auf der ersten Stufe, die zum Tempel führt. Andere Gläubige zünden Kerzen an und stellen auf jeder Treppenstufe eine ab – es bedarf großer Willenskraft, um den Aufstieg in dieser gebeugten Haltung zu bewältigen. Wieder andere tragen eine mit Wasser angerührte Pigmentmischung auf den Stein auf, so dass die Treppe in Purpurrot und Ocker leuchtet. Die wahrlich Gottergebenen aber kriechen auf Knien den Berg hinauf – Smita beobachtet eine ganze

Familie, die sich so mit schmerzverzerrtem Gesicht Stufe um Stufe hocharbeitet. Was für eine Aufopferungsbereitschaft, denkt sie neidvoll.

Schon auf dem ersten Viertel der Strecke ist Lalita die Erschöpfung anzumerken, sie müssen längere Pausen einlegen, um zu trinken und Atem zu schöpfen. Nach einer Stunde kann die Kleine keinen Fuß mehr vor den anderen setzen. Smita nimmt sie auf ihren Rücken und klettert tapfer weiter die Treppe hoch. Ihre Tochter ist zart, allerdings ist auch sie selbst nicht gerade robust, es ist allein die Konzentration auf ihr Ziel, die sie auf den Beinen hält, die Vorstellung, dass sie ihrem verehrten Gott bald so nah sein wird wie noch nie. Sie hat das Gefühl, dass Vishnu ihre Kräfte in diesem Moment verzehnfacht, damit sie, Smita, es bis nach oben schafft und vor ihm niederknien kann.

Lalita schlummert seit einer Weile, als Smita endlich den Gipfel erreicht und entkräftet vor den Toren des Tempels niedersinkt. Wuchtige Lautsprecher grenzen das Areal der heiligen Stätte ab. Ein gigantischer Turm aus weißem Granit im Dravida-Stil ragt zum Himmel empor. Noch nie hat Smita etwas Vergleichbares gesehen. Tirumala ist eine Welt für sich, dichter bevölkert als eine Stadt.

Alkohol, Fleischwaren oder Zigaretten sucht man an einer Kultstätte wie dieser vergeblich. Für den Zutritt benötigt man eine Eintrittskarte – die billigste koste 12 Rupien, informiert ein Pilger fortgeschritteneren Alters Smita. Unzählige Menschen stehen vor den Schaltern an, ab und zu taucht dahinter ein Gesicht auf. Der beschwerliche Weg zum Tempel, das begreift Smita augenblicklich, war nur ein Vorgeschmack auf das, was sie und ihre Tochter noch erwartet. Es kann Stunden dauern, bevor man ihnen Einlass ins Innere des Tempels gewährt.

Es ist spät geworden, die Nacht bricht bereits herein. Smita muss Kräfte sammeln, sie sollte versuchen, ein wenig zu schlafen. Plötzlich sieht sie zwischen den eifrigen Blumen- und Souvenirverkäufern, die vor dem Tempel ihr Geschäftsglück versuchen, einen Mann auf sich zusteuern. Er scheint ihre Ratlosigkeit und extreme Müdigkeit bemerkt zu haben. Es gibt kostenlose Schlafsäle in der Nähe, extra für die Pilger, verrät er Smita. Er könne ihnen den Weg zeigen. Unverblümt starrt er erst sie an, dann verweilt sein Blick ein wenig zu lange auf Lalita. Unwillkürlich umfasst Smita die Hand ihrer Tochter fester und zieht sie fort von dem Schurken. Dabei wirkte er so freundlich mit seinem engelsgleichen

Gesicht ... Bei der Vorstellung, die Nacht hier draußen zu verbringen, läuft ihr ein Schauer über den Rücken – zwei alleinreisende Frauen sind leichte Beute. Sie müssen unbedingt einen sicheren Unterschlupf finden. Es ist eine Frage des Überlebens. Etwas abseits entdeckt sie einen Sadhu im gelben Gewand, Gelb ist die Farbe der Vishnuiten, er weist ihr die Richtung zu den Pilgerheimen.

Der erste Schlafsaal ist geschlossen, der zweite bereits vollständig belegt. Vor dem dritten gibt eine alte Frau ihr Auskunft, dass nur noch ein Bett frei sei. Egal. Smita und Lalita haben so viel gemeinsam erlebt, dass sie ohnehin das Gefühl haben, auf eine Person zusammengeschrumpft zu sein. Sie betreten den baufälligen Raum, in dem sich etwa ein Dutzend lieblos aufgebauter Pritschen aneinanderreihen, strecken sich auf der letzten freien aus und sinken in einen tiefen Schlaf.

Sarah
Montreal, Kanada

Seit drei Tagen hat Sarah ihr Bett nicht mehr verlassen.

Tags zuvor hat sie ihren Arzt angerufen und ihn um eine Krankschreibung gebeten – die erste ihres Lebens. Sie will nicht mehr in die Kanzlei zurück. Sie erträgt die Heuchelei nicht mehr, es ist für sie nicht hinnehmbar, so an den Rand gedrängt zu werden.

Zuerst wollte sie nicht erkennen, was gespielt wurde, sie wollte es einfach nicht glauben. Dann kam die Empörung, es packte sie eine schier unkontrollierbare Wut. Und nun überwältigt sie diese maßlose Niedergeschlagenheit, aus der es, wie aus einer unendlichen Wüstenlandschaft, kein Entkommen gibt.

Nie hat Sarah Verantwortung aus der Hand gegeben, sie hat ihr Leben stets selbstbestimmt geführt, sie war im wahrsten Sinne des Wortes das, was man in ihrem Umfeld als *Executive woman* bezeichnet, eine Frau, *die eine führende Position in einem Unternehmen oder einer Gesellschaft inne-hat, die Entscheidungen trifft und dafür sorgt, dass diese Anwendung finden.* Neuerdings ist sie diejenige, die sich fügen muss. Sie fühlt sich verraten, wie eine verstoßene Frau, zurückgewiesen, weil sie die Erwartungen nicht erfüllt hat, weil man sie für unfähig, ungenügend, unproduktiv hält.

Sie, der es gelungen ist, die gläserne Decke zu durchstoßen, scheitert nun an der unsichtbaren Barriere, die die Welt der Gesunden von der Welt der Kranken, Schwachen und Verwundbaren trennt, zu der sie jetzt zählt. Johnson und seinesgleichen sind dabei, sie zu beerdigen. Sie haben sie bereits in die Grube hinuntergelassen, werfen schaufelweise Lächeln und kräftig unaufrichtiges Mitleid hinterher. In beruflicher Hinsicht ist sie tot. Sie weiß es. Wie in einem Albtraum wohnt sie ohnmächtig ihrem eigenen Begräbnis bei. Sie kann heulen, so viel sie will, schreien, dass sie noch da ist, dass sie lebendig in diesem Sarg liegt – niemand wird sie hören. Ihr Martyrium trägt die Züge eines Wachtraums.

Sie lügen, allesamt. Sie sagen ihr *Sei stark*, sie sagen ihr *Du wirst es schaffen*, sie sagen ihr *Wir sind bei dir*, aber ihr Handeln spricht eine andere Sprache. Sie haben sie fallenlassen. Wie einen kaputten Gegenstand ausgemustert, auf den Index gesetzt.

Sie, die alles für die Arbeit geopfert hat, wird nun selbst auf dem Altar der Effizienz, der Rentabilität, der Leistungsfähigkeit geopfert. Ganz nach dem Motto: Funktioniere oder krepiere. Soll sie also krepieren.

Ihr Plan ist nicht aufgegangen. Ihre Mauer ist eingestürzt, Inès hat sie mit ihrem Ehrgeiz gesprengt, darin noch übertroffen von Curst, und Johnson hat seinen Segen gegeben. Sie dachte, er würde sie verteidigen – oder es wenigstens versuchen. Doch er hat sie, ohne mit der Wimper zu zucken, im Stich gelassen. Er hat ihr das Einzige genommen, das sie aufgerichtet und ihr die Kraft gegeben hat, jeden Morgen das Bett zu verlassen: ihre soziale Identität, ihr Berufsleben, das Gefühl, jemand zu sein, einen Platz in dieser Welt zu haben.

Es ist eingetreten, was Sarah befürchtete: Sie ist auf ihren Krebs reduziert. Sie ist ein personifizierter Tumor. Die Leute sehen in ihr nicht mehr die strahlende, elegante, erfolgreiche vierzigjährige Frau, sondern die Inkarnation ihrer Krankheit. In ihren Augen ist sie keine kranke Rechtsanwältin, sondern eine Kranke, die Rechtsanwältin ist. Das ist ein großer Unterschied. Krebs macht Angst. Er isoliert, er schafft Distanz. Er riecht nach Tod. Sobald man in seine Nähe kommt, möchte man sich am liebsten umdrehen und die Nase zuhalten.

Unberührbar, ja, genau darauf sieht Sarah sich herabgestuft. Geächtet von der Gesellschaft.

Und deswegen wird sie nicht wieder dort hingehen, wird nicht wieder in den Ring steigen, wo sie bereits ausgezählt wurde. Sie werden sie nicht am Boden sehen. Für dieses jämmerliche Schauspiel wird sie sich nicht hergeben, sie wird sich den Löwen nicht zum Fraß vorwerfen. Zumindest das ist ihr geblieben: ihre Würde. Die Macht, nein zu sagen.

Heute Morgen hat sie das Frühstück, das Ron ihr zubereitet hat, nicht einmal angerührt. Die Zwillinge sind an ihr Bett gekommen, um sie zu umarmen, haben sich zu ihr unter die Decke gekuschelt. Doch selbst die Wärme ihrer kleinen, schmiegsamen Körper vermochte sie nicht aus ihrer Starre zu lösen. Hannah hat mit allen Mitteln versucht, sie zum Aufstehen zu bewegen. Sie hat ihre Mutter angefleht, ihr gut zugeredet, finstere Drohungen ausgesprochen, bittere Vorwürfe gemacht – vergebens. Sie weiß, sie wird Sarah am Abend in exakt derselben Position wieder antreffen.

Sarah verbringt ihre Tage in krankhafter Lethargie, wie betäubt, es ist ein fortschreitender Prozess. Ganz allmählich treibt sie fort von der Welt. Vor ihrem geistigen Auge spult sich der Film der vergangenen Wochen ab, sie fragt sich, was sie hätte tun können, um zu verhindern, was eingetreten ist. Vermutlich nichts. Das Spiel hat ohne sie stattgefunden. Game over. Vorbei.

Sie glaubte sich imstande, so zu tun, als sei alles in Ordnung, als habe sich nichts verändert, als könne sie ihr Leben weiterleben, den Kurs beibehalten, als habe sie das Heft in der Hand. Sie dachte, sie bekäme ihre Krankheit in den Griff wie einen juristischen Streitfall, mit System, Fleiß und einem starken Willen. Aber all das hat nicht ausgereicht.

Im Halbschlaf stellt sie sich die Reaktion ihrer Kollegen auf die Nachricht ihres Todes vor. Ein makabrer Gedanke, aber sie findet Gefallen daran, wie andere, die traurige Musik hören, wenn sie Kummer haben. Sie sieht ihre betrübten Minen vor sich, ihre verlogene Trauer. Sie werden sagen *Es war ein bösartiger Tumor*, oder *Sie wusste, dass sie keine Chance hatte*. Sie werden behaupten *Es war zu spät*, oder schlimmer *Sie hat zu lange gewartet* – damit könnten sie ihr die Verantwortung zuschieben, die Schuld an ihrem Schicksal geben. Die Wahrheit liegt woanders. Was Sarah Cohen tötet, was sie auf kleiner Flamme dahinsiechen lässt, ist nicht allein der Tumor, der von ihrem Körper Besitz ergriffen hat und sie in einem gespenstischen Tanz mit unvorhersehbaren Drehungen führt; nein, was sie tötet, ist, dass sich ihre vermeintlichen Verbündeten in der Kanzlei, zu deren Renommee sie maßgeblich beigetragen hat, von ihr zurückgezogen haben. Damit ist ihr jede Perspektive abhandengekommen, jegliche Daseinsgrundlage, ihr *Ikigai*, wie die Japaner es nennen: Ohne dieses sinnstiftende Moment existiert Sarah nicht mehr. Sie ist nur mehr ein hohles Wesen, ihrer Substanz beraubt.

Sie wundert sich immer noch über ihre Einfalt. Sie glaubte, ihre Krankheit könnte der Kanzlei ernsthaft zusetzen, jetzt aber muss sie der erschütternden Wahrheit ins Gesicht sehen: Es läuft sehr gut, auch ohne sie. Ihr Parkplatz und ihr Büro werden neu zugeteilt, alle reißen sich darum. Eine entsetzliche Vorstellung.

Der Arzt ist besorgt, er hat ihr Antidepressiva verschrieben. Ihm zufolge, reagiert-man-häufig-mit-einer-Depression-auf-die-Nachricht-einer-schweren-Erkrankung. Was-sich-ungünstig-auf-ihren-Verlauf-auswirkt. Sie-müssen-sich-wieder-fangen. Vollidiot, denkt Sarah. Nicht sie, sondern die Gesellschaft ist krank. Den Schwachen, den Schutzbedürftigen kehrt man den Rücken wie alten Elefanten, die von ihrem Rudel verlassen und einem einsamen Tod überantwortet werden. Sie erinnert sich an diesen Satz in einem Tierbuch für Kinder: »Fleischfresser erweisen der Natur einen Nutzen, indem sie die Schwachen und Kranken verschlingen.« Ihre Tochter musste weinen, als sie das hörte. Sarah versuchte, sie zu trösten, versicherte ihr, dass die Menschen dieses Gesetz nicht befolgen. Sie wähnte sich auf der sicheren Seite, in einer zivilisierten Welt. Sie hat sich getäuscht.

Der Mann kann ihr so viele Pillen verschreiben, wie er will, an dem grundsätzlichen Problem wird sich nichts ändern – oder zumindest sehr wenig. Es wird immer die Johnsons und Cursts geben, die einem das Leben schwermachen.

Dreckskerle.

Die Kinder haben das Haus verlassen, es ist Ruhe eingekehrt. Sarah steht auf. Sie schleppt sich bis zum Badezimmer, weiter kommt sie morgens nicht. Im Spiegel entdeckt sie, dass ihre Haut dünn ist wie Pauspapier. Ihre Rippen treten hervor, ihre Beine gleichen dürren Stäben, die bei der kleinsten falschen Bewegung wie Streichhölzer zu brechen drohen. Dabei waren ihre Beine immer wohlgeformt, ihr Hintern saß stets fest in elegant geschnittenen Kostümen, auf ihr verführerisches Dekolleté war Verlass. Es war eine Tatsache: Sarah hatte Appeal. Nur wenige Männer zeigten sich unempfänglich für ihre Reize. Es gab flüchtige Abenteuer in ihrem Leben, Affären und sogar zwei große Lieben – ihre beiden Ehemänner, besonders der erste hat ihr sehr viel bedeutet. Wer würde sie heute noch attraktiv finden, so bleich und mager, in diesem viel zu großen Trainingsanzug, der um ihren Körper flattert wie der Umhang eines Gespensts? Die Krankheit rückt ihr äußerst effizient zu Leibe, bald kann Sarah die Kleidung ihrer Tochter tragen, Kleidung für Zwölfjährige, sie ist reduziert auf Kindergröße. Wer findet das noch sexy? In diesem Augenblick würde Sarah alles dafür geben, dass jemand sie in die Arme nähme. Dass sie sich ein paar Sekunden lang in den Armen eines Mannes wieder als Frau fühlen dürfte. Es wäre so schön.

Eine Brust weniger – zunächst hat sie ihren Kummer darüber verdrängt. Wie immer hat sie das Unangenehme aus ihrem Sichtfeld geschafft, ein Tuch darüber geworfen, eine Schutzwand davor gebaut.

Es ist kein Drama, hat sie sich eingeredet, die plastische Chirurgie vollbringt heutzutage Wunder. Und dennoch hat das Wort in ihren Ohren einen hässlichen Klang: *Entfernung* – darauf reimt sich Bestrafung, Verletzung, Verstümmelung, Abtrennung. Auch Heilung, vielleicht, wenn sie Glück hat. Versprechen kann es ihr keiner. Als Hannah von ihrer Krankheit erfuhr, war sie sehr bedrückt. Nach einigem Nachdenken aber sagte sie: *Du bist eine Amazone, Mama.* Kurz zuvor hatte sie einen Aufsatz zu dem Thema schreiben müssen und Sarah gebeten, ihn gegenzulesen. Hannah hatte darin ausgeführt:

»Die Bezeichnung *Amazone* lässt sich aus dem Griechischen herleiten: *mazos*, Brust. In Kombination mit dem vorangestellten ›a‹ bedeutet es: *brustlos*. Die in der Antike als Amazonen bezeichneten Frauen schnitten sich die rechte Brust ab, um ungehindert Bogenschießen zu können. Sie schlossen sich zu einem Kriegerinnenvolk zusammen und taten sich als gefürchtete Kämpferinnen hervor, die großen Respekt genossen. Um ihr Fortleben zu sichern, vereinigten sie sich mit den Männern benachbarter Volksstämme, zogen ihre Kinder jedoch allein groß. Allgemeine Hausarbeiten ließen sie von Männern erledigen, während sie selbst zahlreiche

Kriege führten, aus denen sie meist siegreich zurückkehrten.«

Sarah hat Zweifel, dass sie aus dem gegenwärtigen Krieg als Siegerin hervorgehen wird. Ihr Körper, dessen Bedürfnisse sie über Jahre niedergerungen oder ignoriert hat, den sie vernachlässigt und manchmal hat hungern lassen – es war keine Zeit für Schlaf oder Essen –, rächt sich nun. Er ruft ihr auf grausame Weise seine Existenz ins Gedächtnis. Sarah ist zu einem Schatten ihrer selbst geworden, unbarmherzig wirft ihr der Spiegel ein blasses Abbild der Frau zurück, die sie einmal gewesen ist.

Was sie besonders bekümmert, sind ihre Haare. Sie verliert sie inzwischen büschelweise. Wie ein finsteres Orakel hatte der Onkologe es ihr vorausgesagt: Mit der zweiten Chemotherapie beginnen sie auszufallen. Und schon am nächsten Morgen hat sie Dutzende Haare auf ihrem Kopfkissen entdeckt. Vor dieser Phase hat sie sich mehr als vor allem anderen gefürchtet. Haarausfall ist der Inbegriff von Siechtum. Eine kahlköpfige Frau wird als krank wahrgenommen, egal, wie schön der Pulli ist, den sie trägt, wie hoch die Absätze sind, auf denen sie herumläuft, wie modisch die Tasche ist, die ihr über der Schulter hängt. Niemand wird diese Dinge wahrnehmen, ihr nackter Schädel stellt alles in den Schatten, er ist gleichsam ein Geständnis, eine Beichte, er verrät Leiden. Ein kahl rasierter Mann kann sexy wirken, eine glatzköpfige Frau dagegen sieht immer krank aus, denkt Sarah.

Der Krebs wird ihr alles nehmen: ihren Beruf, ihre elegante Erscheinung, ihre Weiblichkeit.

Sie erinnert sich an ihre Mutter, die an derselben Krankheit gestorben ist. Vielleicht sollte Sarah einfach wieder ins Bett gehen, sich still hinlegen und der Mutter in ihre unterirdische Bleibe folgen, um die ewige Ruhe mit ihr zu teilen. Ein morbider, aber auch tröstlicher Gedanke. Manchmal ist die Vorstellung wohltuend, dass alles ein Ende hat, dass jede Qual, so groß sie auch sein mag, irgendwann aufhört, vielleicht morgen.

Wenn sie an ihre Mutter denkt, sieht sie sofort ihre aparte Gestalt vor sich. So krank und geschwächt sie auch war, nie ist sie ungeschminkt, unfrisiert oder mit unlackierten Nägeln vor die Tür gegangen. Sie sagte oft, dass die Nägel ganz besonders wichtig seien: Nichts gehe über gepflegte Hände. Viele fanden es überflüssig, dass sie solchen Wert darauf legte, sahen darin eine belanglose Koketterie, während es für sie ein wichtiges Zeichen war: Ich nehme mir noch die Zeit, mich um mein Äußeres zu kümmern. Ich bin eine Frau, die voll im Leben steht, ich trage Verantwortung, habe drei Kinder (und einen Krebs), der Alltag frisst mich auf, aber ich nehme daran teil, ich bin nicht verschwunden, ich bin da, immer noch da, gepflegt und ganz Frau, seht nur, meine Fingerspitzen, seht sie an, ich bin da.

Sarah ist ebenfalls da. Im Spiegel betrachtet sie ihre abgebrochenen Nägel und ihr lichtes Haar.

Plötzlich regt sich etwas in ihr, in ihrem tiefsten Innern, ein winziger Teil ihres Wesens weigert sich, den Verfall hinzunehmen. Nein, sie will nicht verschwinden, sie will dem Leben nicht entsagen.

Sie ist eine Amazone, ganz genau. Eine Kriegerin, eine Kämpfernatur. Eine Amazone lässt sich nicht gehen. Sie setzt sich bis zu ihrem letzten Atemzug zur Wehr. Sie gibt niemals auf.

Sie muss wieder in die Schlacht ziehen, sie muss weiterkämpfen. Im Namen ihrer Mutter, im Namen ihrer Tochter und ihrer Söhne, die sie brauchen. Im Namen all der Kriege, die sie schon geführt hat. Sie muss weitermachen. Sie wird sich nicht in dieses Bett legen, sie wird sich nicht diesem hässlichen kleinen Tod in die Arme werfen. Sie wird sich nicht beerdigen lassen. Noch nicht.

Rasch zieht sie sich an. Um ihren Kopf zu bedecken, greift sie im Schrank nach einer Mütze – es ist eine Kindermütze mit Superhelden-Motiv. Was soll's, Hauptsache, sie hält warm.

Draußen schneit es. Sie steckt in einem Mantel, unter dem sie drei Pullover übereinander trägt. Sie wirkt sehr klein in diesem Aufzug, wie ein schottisches Schaf, das sich unter der Last seiner lockigen Wolle beugt.

Sarah verlässt das Haus. Heute ist es so weit, hat sie entschieden.

Sie weiß genau, wohin sie gehen muss.

Giulia
Palermo, Sizilien

Die Italiener wollen italienische Haare.

Wie ein Schlagbeil ist das Urteil gefallen. Im Wohnzimmer ihres Elternhauses hat Giulia der Mutter und den Schwestern soeben ihre Absicht erläutert, die Werkstatt mit dem Import indischer Haare zu retten.

In den Tagen, die dieser Zusammenkunft vorausgegangen sind, hat sie unermüdlich an der Ausarbeitung dieses Plans gefeilt. Sie hat eine Marktanalyse vorgenommen, ein Dossier für die Bank zusammengestellt – sie müssten zwangsläufig Geld investieren. Tag und Nacht hat sie über Unterlagen gebrütet und auf Schlaf verzichtet, fühlte sich in quasi göttlicher Mission unterwegs. Sie weiß nicht, woher ihr plötzliches Selbstvertrauen und diese Energie rühren. Liegt es an Kamals wohlmeinender Unterstützung, an seiner Nähe? Gibt ihr der im Koma liegende Vater die nötige Kraft und Zuversicht? Giulia fühlt sich imstande, Berge zu versetzen, es mit dem Apennin oder auch dem Himalaja aufzunehmen.

Es ist nicht der Gewinn, der sie lockt, sie muss keine Millionen scheffeln wie der englische Geschäftsmann, der sich mit seinem Vermögen brüstet, sie braucht keinen Swimmingpool und keinen Helikopter. Alles, was sie will, ist, das Unternehmen ihres Vaters vor dem endgültigen Aus zu bewahren und ihre Familie finanziell abzusichern.

Das funktioniert niemals, sagt die *Mamma*. Die Lanfredis beziehen ihre Rohstoffe seit jeher aus Sizilien, die *Cascatura* beruht auf einer uralten Tradition. Und mit einer solchen Tradition, behauptet sie, bricht man nicht ungestraft.

Diese Tradition wird uns in den Ruin treiben, erwidert Giulia. Die Zahlen gäben darüber unmissverständlich Auskunft: Sie haben noch etwa einen Monat. Ihre einzige Chance besteht darin, die Produktionsabläufe zu überdenken, sich dem Handel auf internationaler Ebene zu öffnen. Zu akzeptieren, dass die Welt sich verändert und dass man sich mit ihr fortentwickeln muss. Familienunternehmen, die sich diesem Wandel verweigern, machen eines nach dem anderen dicht. Heutzutage gilt es, groß zu denken, über alle Grenzen hinweg, es geht ums Überleben! Fortschritt oder Untergang, dazwischen gibt es nichts. Energisch trägt Giulia ihre Argumente vor und spürt, wie ihr Flügel wachsen. Sie fühlt sich plötzlich wie eine Anwältin, die vor dem Zeugenstand eines Schwurgerichts in einem wichtigen Prozess ihr Plädoyer hält. Anwältin – dieser Beruf hat sie schon immer fasziniert, aber er ist den kultivierten, feinen Leuten vorbehalten. Bei den Lanfredis gibt es keine Juristen, nur Arbeiter, und dennoch hat Giulia früher oft davon geträumt, große Fälle vor Gericht zu verhandeln, eine einflussreiche, vornehme Frau zu sein. Manchmal muss sie daran zurückdenken und verliert sich aufs Neue in ihren unausgereiften Kinderträumen.

Lebhaft referiert sie über die Güte indischer Haare, die zahlreiche Experten als unbestritten ansehen: Während die asiatischen Haare als die robustesten und die afrikanischen als die empfindlichsten gelten, sind die indischen Haare hinsichtlich ihrer Textur und der Möglichkeit, sie zu färben, qualitativ unübertroffen. Hat man sie einmal depigmentiert und umgefärbt, kann man sie von europäischen Haaren kaum mehr unterscheiden.

An dieser Stelle ergreift Francesca das Wort: Sie ist der Meinung ihrer Mutter, es wird niemals funktionieren. Die Italiener wollen kein importiertes Fremdhaar. Giulia ist nicht erstaunt. Ihre Schwester gehört zu den Skeptikern, in deren Welt es nur Grautöne und Schwarz gibt, die nein sagen, bevor sie ein Ja überhaupt in Erwägung gezogen haben. Die immer das störende Detail in einer schönen Landschaft entdecken, denen der winzige Fleck auf der Tischdecke sofort ins Auge sticht, die das Leben eifrig nach seinen Unebenheiten abtasten, sich unablässig daran reiben, als würden ihnen die Missklänge in der Welt große Freude bereiten, als bestünde darin ihr Lebenssinn. Francesca ist das genaue Gegenbild zu Giulia, sie ist eine Negativversion ihrer Schwester im fotografischen Sinn: Ihre Leuchtdichte verhält sich umgekehrt proportional zu Giulias.

Wenn die Italiener sich dagegen sperren, dann müssen wir uns eben andere Märkte erschließen, hält Giulia ihr entgegen. Zum Beispiel den amerikanischen oder den kanadischen. Die Welt ist groß, genauso wie die Nachfrage nach Fremdhaar! Haarergänzungen, Extensions, Perücken – der Sektor befindet sich in voller Expansion. Man muss mit der Welle gehen, statt sich von ihr überwältigen zu lassen.

Francesca erspart Giulia weder ihre Zweifel noch ihr mangelndes Vertrauen in sie. Sie nimmt kein Blatt vor den Mund, die große Schwester. Wie Giulia die Sache überhaupt angehen wolle? Sie, die Italien noch nie verlassen und kein Flugzeug je von innen gesehen hat? Ihr Horizont höre hinter der Bucht von Palermo auf, wieso sollte also ausgerechnet ihr dieser Kraftakt, dieses Wunder gelingen?

Doch Giulia lässt sich nicht beirren, sie will an ihrem Traum festhalten. Das Internet hat jede Distanz aufgehoben, die Welt liegt heute in ihren Händen wie früher der Leuchtglobus, den sie als Kinder geschenkt bekommen hatten. Indien ist sehr nahe gerückt, der Subkontinent befindet sich praktisch vor ihrer Haustür. Giulia hat sehr ausführliche Preisvergleiche angestellt, sie weiß, wie hoch Haare im Kurs stehen, ihr Plan ist nicht unrealistisch. Er erfordert lediglich Mut und Überzeugung. An beidem mangelt es ihr nicht.

Adela schweigt. Sie sitzt in ihrer Ecke und beobachtet, wie ihre Schwestern hitzig diskutieren – sie selbst bezieht keine Stellung, wie üblich, was geht sie schon die Welt an.

Wir müssen die Werkstatt schließen und die Immobilie verkaufen, beharrt Francesca. Damit könnten wir einen Teil der Hypothek bestreiten, die auf dem Haus liegt.

Und wovon sollen wir leben?!, ruft Giulia aufgebracht. Glaube sie etwa, es sei so leicht, einen neuen Job zu finden? Und habe sie auch mal an die Arbeiterinnen gedacht? Daran, welche Zukunft diese Frauen erwarte, die all die Jahre für sie geschuftet haben?

Die Diskussion artet in einen handfesten Streit aus. Die *Mamma* weiß, dass sie ein Machtwort sprechen und zwischen ihre keifenden Töchter gehen muss. Die beiden haben nie Verständnis füreinander gezeigt, denkt sie bitter, geschweige denn, dass sie gut miteinander ausgekommen wären. Ihre Beziehung ist eine einzige Aneinanderreihung von Konflikten, und dieser hier treibt gerade einem Höhepunkt entgegen. Sie muss eingreifen und sich für eine Seite entscheiden.

Es stimmt, wir sollten die Arbeiterinnen nicht außer Acht lassen, sagt sie, das gebieten Anstand und Respekt. Trotzdem gebe ich Francesca in einem Punkt recht: *Die Italiener wollen italienische Haare.*

Und mit diesem einen Satz erklärt sie das Import-Projekt für tot.

Niedergeschlagen verlässt Giulia das Haus. Sie wusste, dass sie für ihr Vorhaben würde kämpfen müssen, aber mit einem solchen Widerstand hat sie nicht gerechnet. Sie fühlt sich wie nach einer durchfeierten Nacht, verkatert und ernüchtert. Ohne das Einverständnis ihrer Mutter und ihrer Schwestern kann sie in der Werkstatt nichts ausrichten. Sie haben ihre schönen Visionen niedergetrampelt. Ihr Enthusiasmus ist verflogen, er hat dem Zweifel Platz gemacht, und der Angst.

Sie findet Zuflucht im Krankenhaus, am Bett ihres Vaters. Wie hätte er reagiert? Was hätte er getan? Sie sehnt sich danach, dass er sie tröstend in den Arm nimmt, am liebsten würde sie losheulen wie ein kleines Kind. Sie spürt, wie ihre Überzeugung schwindet. Sie weiß nicht, was sie tun soll, ob sie an ihrem Plan festhalten oder ihn begraben, auf dem Altar der Vernunft verbrennen soll, im Namen all der Traditionen, die im Aussterben begriffen sind.

Sie ist enttäuscht und erschöpft, so müde nach vielen durchwachten Nächten, dass sie auf der Stelle einschlafen könnte, auf diesem Bett, neben ihrem *Papa*. Hundert Jahre schlafen, so wie er, das würde sie jetzt auch gern tun.

Sie schließt die Augen.

Sie befindet sich auf einmal im *Laboratorio*. Ihr Vater ist auch dort, wie früher sitzt er da und schaut aufs Meer. Er macht nicht den Eindruck, als würde er leiden. Vielmehr wirkt er heiter und gelassen. Er lächelt ihr zu, als hätte er sie erwartet. Giulia setzt sich zu ihm. Sie erzählt ihm, was sie quält und bedrückt, schildert ihm das Gefühl der Ohnmacht, das ihr beinah die Luft abschneidet. Sie beteuert, wie leid es ihr tue, wegen der Werkstatt.

Lass dich nicht von deinem Weg abbringen, sagt der Vater, von niemandem. Du musst dir deine Überzeugung bewahren. Du hast einen starken Willen. Ich glaube an deine Durchsetzungskraft und an deine Fähigkeiten. Du musst die Sache weiterverfolgen. Das Leben hat große Dinge mit dir vor.

Ein schrilles Geräusch lässt Giulia hochschrecken. Sie ist tatsächlich am Krankenbett ihres Vaters eingeschlafen. Die Maschinen, die ihn am Leben erhalten, geben auf einmal laute und spitze Töne von sich. Sofort stürzen Krankenschwestern ins Zimmer.

In genau diesem Augenblick spürt Giulia, dass sich die Hand ihres Vaters regt.

Smita

Tempel von Tirupati, Andhra Pradesh,
Indien

Über den Tirumala-Bergen bricht der Morgen an.

Smita und Lalita stehen in der langen Schlange
der Pilger vor dem Eingang zum Tempel. Ein Kind
kommt auf sie zu und hält ihnen *Laddus* hin, kugel-
rundes Gebäck aus Trockenfrüchten und Kondens-
milch. Das Gewicht und die Zutaten seien genau
festgelegt, erklärt das Kind, Gott persönlich habe
das Rezept diktiert. Die Bällchen werden von den
Achakas, so heißen die Erbpriester, eigenhändig im
Tempel für die Pilger zubereitet. Sie zu verspeisen
ist ein wesentlicher Bestandteil des Reinigungs-
prozesses. Smita dankt Gott für die segensreiche
Mahlzeit. Gestärkt durch ein paar Stunden Schlaf
und die zuckersüßen *Laddus*, fühlt sie sich zu allen
Opfern bereit. Sie hat Lalita noch nicht gesagt, was
sie im Innern des Tempels erwartet. Die Reichen
legen dort Nahrungsmittel und Blumen, Schmuck,

Gold und Edelsteine nieder; die Armen opfern Lord Venkateshvara das einzig Wertvolle, das sie besitzen: ihre Haare.

Die Opferung von Haaren geht auf eine uralte, tausendjährige Tradition zurück: Man entsagt damit jeder Form von Individualität, tritt entblößt und in aller Demut vor Gott.

Nachdem Smita und Lalita ins Innere der Tempelanlage vorgedrungen sind, gelangen sie in einen von mehreren vergitterten Korridoren, wo Tausende Dalits tagelang ausharren – man warte lange, bis zu achtundvierzig Stunden, verkündet ein am Eingang sitzender Mann. Wer Geld hat, kann sich ein Ticket kaufen, mit dem man schneller weiterkommt. Die Masse jedoch muss sich gedulden, ganze Familien kampieren hier, und alle haben Angst zu verpassen, wenn sie an der Reihe sind. Nach einer gefühlten Ewigkeit, die sie in diesem Käfig zugebracht haben, werden Smita und Lalita endlich in den *Kalianakata* vorgelassen, ein gewaltiges, vierstöckiges Gebäude, wo Hunderte Barbiere eifrig am Werk sind. Ein wahrer Ameisenhaufen, in dem Tag und Nacht Hochbetrieb herrscht. Der größte Friseursalon der Welt, heißt es. Smita erfährt, dass der Preis für eine Kopfrasur 15 Rupien beträgt. Es ist wirklich nichts umsonst auf dieser Welt, seufzt sie im Stillen.

Sie betreten einen riesigen Raum, in dem sich Scharen psalmodierender Männer, Frauen mit Babys, Kinder und Greise in die Hände emsiger Barbiere begeben. Der Anblick der vielen kahlen Schädel ist Lalita unheimlich. Sie fängt an zu weinen. Sie will ihre Haare nicht opfern, sie findet sie zu schön, um sie abzuschneiden. Wie ein Schutzschild hält sie ihre Puppe an sich gedrückt, dieses kleine Bündel Stoff, das sie die ganze Reise über nicht losgelassen hat. Smita beugt sich zu ihr hinunter und flüstert ihr sanft ins Ohr:

Hab keine Angst. Gott ist bei uns. Deine Haare werden wieder wachsen, und sie werden noch viel schöner sein als je zuvor. Du musst dich nicht fürchten. Ich werde vor dir an der Reihe sein.

Die liebevolle Stimme ihrer Mutter beruhigt sie ein wenig. Sie beobachtet Kinder, die gerade geschoren wurden und sich lachend mit der Hand über den Kopf streichen. Sie machen keinen unglücklichen Eindruck – im Gegenteil. Ihr neues Äußeres scheint ihnen großes Vergnügen zu bereiten. Die Mutter, ebenfalls mit kahlem Schädel, reibt die Köpfe der

Kleinen mit einem Öl ein, das ihre Haut vor Sonne und Infektionen schützen soll.

Es ist so weit, sie sind als Nächste dran. Der Barbier winkt Smita zu sich heran. Ehrfürchtig folgt sie seinem Zeichen, kniet vor dem Mann nieder, schließt die Augen und beginnt, ganz leise, ein Gebet zu sprechen. Was sie Vishnu inmitten all dieser Menschen anvertraut, wird ihr Geheimnis bleiben. Dieser Moment gehört ihr allein. Tagelang hat sie ihn herbeigesehnt, jahrelang ihn sich ausgemalt.

Mit geübten, raschen Handgriffen wechselt der Barbier die Klinge – der Vorsteher des Tempels hat ein strenges Auge darauf, eine frische Klinge für jeden Pilger, so lautet die Vorschrift. In seiner Familie wird der Beruf des Barbiers seit Generationen vom Vater an den Sohn weitervererbt. Jeden Tag führt er dieselben Bewegungen aus, so oft hintereinander, dass er nachts davon träumt. Ozeane aus Haaren phantasiert er dann, und manchmal ertrinkt er darin. Er bittet Smita, sich Zöpfe zu flechten, das erleichtere das Scheren und Auflesen der Haare. Dann beträufelt er ihren Kopf mit Wasser und setzt die Klinge an. Lalita verfolgt die Prozedur mit besorgtem Blick, doch Smita lächelt ihr zu. Vishnu ist bei ihr. Er ist da, ganz nah.

Er segnet sie.

Während ihr Haar in Strähnen zu Boden fällt, schließt Smita die Augen. Um sie herum sitzen Tausende in derselben Position wie sie und beten für ein besseres Leben, opfern die einzige Kostbarkeit, die ihnen je zuteilwurde, ihre Haare, ihren Kopfschmuck, dieses Geschenk des Himmels, das sie nun zurückgeben, mit gefalteten Händen und auf dem Boden des *Kalianakata* kniend.

Als sie die Augen wieder aufschlägt, ist ihr Schädel glatt wie ein Ei. Sie richtet sich auf und fühlt sich plötzlich unglaublich leicht. Ein völlig neues Gefühl, berauschend. Ein Schauer läuft ihr über den Rücken. Zu ihren Füßen liegt ein kohlrabenschwarzer Haufen, ihre alten Haare, ein Überbleibsel ihres vorherigen Ichs, das bereits Erinnerung ist. Jetzt sind ihre Seele und ihr Körper rein. Sie spürt eine tiefe innere Ruhe. Sie fühlt sich gesegnet. Beschützt.

Lalita ist an der Reihe, mit zitternden Knien tritt sie vor. Smita nimmt ihre Hand. Der Barbier wechselt die Klinge, sieht auf und betrachtet voller Bewunderung den langen Zopf des Mädchens – wunderschöne, seidenweiche, dicke Haare. Smita blickt ihre Tochter fest an und flüstert mit ihr zusammen das Gebet, das sie unzählige Male vor dem kleinen Altar in der Hütte in Badlapur gesprochen haben. Es ist schwierig, so zu leben wie sie, in dieser elenden Armut und Bedürftigkeit, aber sie sagt sich, vielleicht wird Lalita eines Tages ein Auto besitzen. Die Vorstellung lässt sie unwillkürlich lächeln und gibt ihr Kraft. Das Leben ihrer Tochter wird besser sein als ihres, dank des Opfers, das sie heute an diesem Ort dargebracht haben.

Als sie aus dem *Kalianakata* ins Freie treten, blendet sie das Tageslicht. Ohne Haare sehen sie sich zum Verwechseln ähnlich. Sie wirken beide jünger, noch zarter. Lachend fassen sie sich an den Händen. Sie haben es bis hierher geschafft. Das Wunder ist vollbracht. Smita weiß, dass Vishnu seine Versprechungen halten wird. In Chennai werden ihre Cousins sie erwarten. Morgen beginnt ein neues Leben.

Während sie sich Hand in Hand in Richtung des Goldenen Sanktuariums entfernen, weicht alle Traurigkeit von Smita. Nein, wirklich, sie ist nicht traurig, denn sie ist überzeugt: Gott wird sich für ihre Opfergabe erkenntlich zeigen.

Giulia
Palermo, Sizilien

Sie wussten nicht, dass es unmöglich war,
also haben sie es getan.

Dieser Satz aus der Feder von Mark Twain hat Giulia schon als Kind sehr gefallen. Heute, da sie auf dem Rollfeld des Flughafens Falcone-Borsellino steht, muss sie wieder daran denken. Sie fiebert der Ankunft einer Maschine entgegen, die vom anderen Ende der Welt kommt und die erste Ladung Haare für sie an Bord hat.

Der *Papa* ist nicht mehr aus dem Koma erwacht. Er ist an dem Tag gestorben, als sie bei ihm war und diesen seltsamen Traum hatte, an den sie sich ihr Leben lang erinnern wird. Im Moment seines Todes hat er ihre Hand gedrückt, als wollte er sich von ihr verabschieden. Als wollte er ihr sagen: Nur zu! Er hat die Staffel an sie weitergereicht, bevor er gegangen ist. Giulia weiß es. Während die Ärzte versucht haben, ihn zu reanimieren, hat sie ihm versprochen, dass sie die Werkstatt retten wird. Es ist ein geheimer Pakt, den sie in jenem Augenblick geschlossen haben.

Sie hat Wert darauf gelegt, dass die Trauerfeier in der Kapelle stattfindet, die er so gern mochte. Ihre Mutter war dagegen – der Ort sei zu klein, meinte sie, nicht alle fänden dort einen Sitzplatz. Pietro habe so viele Freunde gehabt, er sei so beliebt gewesen, und dann die Familie, die aus ganz Sizilien anreisen werde, und die Arbeiterinnen ... Wenn ihnen wirklich etwas an ihm liegt, hat Giulia eingewandt, werden sie auch im Stehen Abschied von ihm nehmen. Am Ende ist die Mutter dem Willen ihrer Tochter gewichen.

Giulia kommt ihr seit einiger Zeit wie ausgewechselt vor. Normalerweise ist sie doch so klug, so ausgeglichen, so sanft, denkt die *Mamma*, aber neuerdings gibt sie sich äußerst starrköpfig. Sie legt eine ungewohnte Entschlossenheit an den Tag. Im Kampf um die Zukunft des Familienbetriebs hat sie nicht mit sich reden lassen, war nicht bereit, zurückzustecken. Um einen Ausweg aus der festgefahrenen Situation zu finden, hat sie vorgeschlagen, eine Abstimmung unter den Arbeiterinnen durchzuführen. So sei man auch anderswo an gefährdeten Standorten vorgegangen, sagte sie. Außerdem sei es legitim, die Meinung der Mitarbeiter einzuholen. Schließlich ginge es auch um ihr Schicksal. Die Mutter erklärte sich einverstanden. Die Schwestern nahmen es hin.

Um zu verhindern, dass sich die jüngeren Angestellten von den älteren beeinflusst fühlen, wurde zugunsten einer geheimen Abstimmung entschieden. Die Arbeiterinnen hatten die Wahl zwischen einer Neuausrichtung des Unternehmens – den Import indischer Haare eingeschlossen –, oder der Stilllegung des Betriebs, das heißt einer flächendeckenden Entlassung mit magerer, aber immerhin zugesicherter Abfindung. Dass die erste Variante Risiken und Unwägbarkeiten bergen würde, hat Giulia nicht unterschlagen.

Die Stimmabgabe ist in der großen Werkhalle erfolgt. Sogar die *Mamma* und auch Francesca und Adela haben sich eingefunden. Mit zitternder Hand hat Giulia die Auszählung vorgenommen, hat jedes einzelne Papier auseinandergefaltet, das sich in dem Hut des Vaters befand – es ist ihre Idee gewesen, darin die Stimmzettel zu sammeln, als letzte Ehrerweisung für den verstorbenen Patron. *Auf diese Weise ist er heute ein wenig bei uns*, meinte sie.

Mit einer Mehrheit von sieben gegen drei Stimmen ist das Votum eindeutig ausgefallen. Ein historischer Augenblick, der Giulia noch lange im Gedächtnis bleiben wird. Nur mit Mühe konnte sie ihre Freude über das Ergebnis verhehlen.

Kamal hat ihr den Kontakt zu einem Mann in Indien vermittelt, der an einer Handelshochschule studiert hat und in Chennai lebt. Auf der Suche nach geeignetem Exporthaar zieht er kreuz und quer, von Tempel zu Tempel durchs Land. Er ist ein harter Geschäftsmann, aber auch Giulia spielt mit erstaunlichem Verhandlungsgeschick auf. *Mia cara, man könnte meinen, du hättest dein Lebtag nichts anderes gemacht!*, amüsiert sich die *Nonna*.

Giulia ist erst zwanzig und leitet bereits eine Firma. Damit ist sie die jüngste Unternehmerin der Gegend. Ihren Arbeitsplatz hat sie sich im ehemaligen Büro des Vaters eingerichtet. Oft betrachtet sie die Fotos der Lanfredi-Männer an der Wand. Sie hat sich bisher nicht getraut, die Reihe mit einem eigenen Porträt zu vervollständigen. Die Zeit wird kommen.

Wenn sie Zuspruch braucht, geht sie hinauf ins *Laboratorio*, schaut aufs Meer und denkt an ihren Vater, überlegt, was er gesagt oder getan hätte.

Sie weiß, dass sie nicht allein ist. Der *Papa* ist bei ihr.

An diesem Morgen ist Kamal an ihrer Seite. Er hat darauf bestanden, sie zum Flughafen zu begleiten. In den letzten Wochen haben sie mehr als nur die Mittagspausen miteinander geteilt. Kamal hat sich als unerschütterlicher Gefährte erwiesen, wohlwollend hat er jede ihrer Überlegungen aufgenommen, sie einfallsreich, mit Begeisterung und unternehmerischem Geist weitergedacht. Er war ihr Geliebter – jetzt ist er ihr Komplize, ihr Vertrauter.

Endlich, das Flugzeug befindet sich im Landeanflug. Als sie den immer größer werdenden Punkt am Himmel sieht, hat Giulia das sichere Gefühl, dass ihre Zukunft im Frachtraum dieser dickbauchigen Maschine steckt. Sie nimmt Kamals Hand. Sie begreift mit einem Mal, dass sie beide sich nicht mehr wie zwei voneinander unabhängige Wesen auf ungewissen Umlaufbahnen bewegen, dass sie nicht mehr durch das Labyrinth ihrer Existenz irren, sondern dass sie dabei sind, ihre Schicksale als Mann und Frau miteinander zu verknüpfen. Es spielt keine Rolle, was die *Mamma* davon hält oder der Rest der Familie. Und schon gar nicht, was die Leute im Viertel sagen. Giulia fühlt sich wie eine erwachsene

Frau neben diesem Mann, der sie dazu gemacht hat. Sie will seine Hand festhalten, auch in all den Jahren, die vor ihnen liegen, auf der Straße, im Park, während sie schläft, wenn sie sich lieben, wenn sie weint, bei der Geburt ihrer gemeinsamen Kinder. Sie möchte diese Hand nicht mehr loslassen.

Das Flugzeug setzt auf, erreicht seine Parkposition. Schnell werden die Container entladen und ins Frachtzentrum transportiert, wo eine rege Betriebsamkeit herrscht.

In der Lagerhalle quittiert Giulia den Erhalt der Ware – ein Paket, nicht größer als ein Koffer. Zitternd greift sie nach dem Cutter, um es an der Seite aufzuschlitzen. Die ersten Haare kommen zum Vorschein. Behutsam zieht sie eine Strähne hervor, betrachtet die sehr langen, kohlrabenschwarzen Haare. Ohne Zweifel stammen sie von einer Frau, sie sind seidenweich und fest. Die nächste Strähne ist ein wenig kürzer, auch sie sehr samtig, vermutlich gehörte sie zum Haarschopf eines Kindes. Ihr Verbindungsmann in Indien sagte, er habe diese erste Lieferung vergangenen Monat im Tempel von Tirupati besorgt – nach seinen Worten die meistbesuchte Kultstätte der Welt, noch vor Mekka und dem Vatikan. Giulia war beeindruckt, als sie das hörte. Sie stellt sich all die Männer und Frauen vor, die dorthin gepilgert sind, um ihr Haar zu opfern. Menschen, denen sie niemals begegnen wird. Dabei würde sie ihnen am liebsten vor lauter Dankbarkeit um den Hals fallen, ihr Opfer ist ein Geschenk des Himmels. Sie werden niemals erfahren, wo ihre Haare gelandet sind, welch abenteuerliche Reise sie hinter sich haben, eine wahre Odyssee. Und das ist erst der Anfang. Irgendwann wird irgendjemand irgendwo in der Welt diese Haare, die in ihrer Werkstatt sortiert, gewaschen und weiterverarbeitet wurden, auf dem Kopf tragen. Die Person wird nicht die leiseste Ahnung haben, welcher Kämpfe es dafür bedurfte. Aber sie wird die Haare hoffentlich mit demselben Stolz tragen, mit dem Giulia sie in diesem Moment durch ihre Finger gleiten lässt. Bei diesem Gedanken lächelt sie.

Sie hält Kamals Hand fest umschlossen, endlich hat sie ihren Platz gefunden. Der Familienbetrieb ist gerettet, ihr Vater darf in Frieden ruhen. Eines Tages werden ihre Kinder die Linie fortsetzen. Sie wird sie in die Geheimnisse des Metiers einweihen, wird ihnen die Wege zeigen, die sie einst mit ihrem Vater auf der Vespa genommen hat.

Manchmal kehrt der Traum wieder, in dem sie mit dem *Papa* auf dem Roller durch die frühen Morgenstunden braust. Giulia wird nie mehr neun Jahre alt sein, und die Vespa ihres Vaters gibt es nicht mehr. Aber sie weiß nun, dass die Zukunft voller Versprechungen ist.

Und dass diese Zukunft ab jetzt ihr gehört.

Sarah

Montreal, Kanada

Zielstrebig läuft Sarah durch die verschneiten Straßen. Es herrschen eisige Temperaturen in diesen
ersten Februartagen, aber sie ist dem Winter dankbar: Er ist ihr Alibi. Bei der klirrenden Kälte fällt sie
nicht weiter auf mit ihrer Mütze, denn jeder trägt
eine. Auf halber Strecke kreuzt eine Gruppe von
Schülern ihren Weg, artig halten sich die Kinder an
den Händen. Ein Mädchen hat die gleiche Superhel-
den-Mütze auf dem Kopf wie sie, amüsiert zwinkert
Sarah der Kleinen zu.

Sie geht weiter. Hin und wieder tastet sie in ihrer
Manteltasche nach der Visitenkarte, die eine Frau,
der sie einige Wochen zuvor im Krankenhaus begegnet ist, ihr gegeben hat. Sie mussten in demselben
Raum auf ihre Behandlung warten und kamen un-
gezwungen ins Gespräch, fast wie auf einer Caféter-
rasse. Sie unterhielten sich den ganzen Nachmittag,
und aus der angenehmen Plauderei wurde bald ein

sehr vertrauter Gedankenaustausch. Als schüfe die Krankheit eine besondere Nähe, als knüpfte sie mit einem unsichtbaren Faden eine intime Verbindung zwischen ihnen. Sarah hat zahlreiche Erfahrungsberichte im Internet gelesen, auf Foren oder Blogs, die ihr den Eindruck vermittelten, einem Klub von Spezialisten anzugehören, deren Sachkenntnis darauf beruht, *es* am eigenen Leib durchgemacht zu haben. Wie üblich bei einer solchen Expertenrunde gibt es Veteranen, versierte *Jedi*, die nicht erst eine Schlacht geschlagen haben, und Neulinge, *Padawane*, die noch vieles im Umgang mit der Krankheit lernen müssen, wie Sarah. Die Frau, der sie an jenem Tag im Krankenhaus begegnet ist, muss eine *Jedi* gewesen sein, sie schien sehr kampferprobt – obwohl sie in Bezug auf ihre Erkrankung äußerst diskret war. Sie hat Sarah die Visitenkarte in die Hand gedrückt und prophezeit, dass der Zeitpunkt irgendwann kommen werde. Diesen Salon für »Zweithaar« könne sie empfehlen, die Beratung dort sei kompetent und taktvoll. Es sei wichtig, meinte sie, dass man in seinem Ringen um Heilung nie den Aspekt der Selbstachtung vernachlässige. *Wenn wir in den Spiegel schauen, müssen wir einen Verbündeten erkennen, niemals darf uns der Feind entgegenblicken* – sie wirkte, als wisse sie, wovon sie spricht.

Sarah hat die Karte eingesteckt und die Sache auf sich beruhen lassen. Sie wollte sich eine Galgenfrist verschaffen, aber nun hat die Realität sie eingeholt.

Der Zeitpunkt ist gekommen. Sarah befindet sich auf dem Weg zu ebenjenem Salon. Sie hätte ein Taxi nehmen können, aber sie hat sich zu Fuß aufgemacht. Wie zu einer Wallfahrt. Sie hat das Gefühl, sich diese Strecke in einer Art Initiationsritus erlaufen zu müssen. Sich dorthin zu begeben bedeutet viel, es heißt: Ich akzeptiere meine Krankheit. Ich weise sie nicht mehr zurück, ich höre auf, sie zu leugnen. Ich betrachte sie als das, was sie ist: nicht als eine Strafe, die ich erleiden muss, auch nicht als Schicksal oder Fluch, sondern als einen Fakt, ein Ereignis in meinem Leben, eine Prüfung, die ich bestehen muss.

Je näher das Perückengeschäft rückt, desto intensiver drängt sich Sarah das seltsame Gefühl auf, diesen Weg schon einmal beschritten zu haben. Es ist kein Déjà-vu-Erlebnis, auch keine Vorahnung, die Empfindung geht tiefer, sie betrifft ihr Bewusstsein, ihr ganzes Wesen. Dabei ist es das erste Mal, dass sie in diesem Viertel unterwegs ist. Sie kann es nicht erklären, aber sie wird den Eindruck nicht los, dass etwas sie dort erwartet. Dass sie dort bereits seit langem verabredet ist.

Als sie das Geschäft betritt, nimmt eine elegante Dame sie höflich in Empfang und führt sie durch einen Korridor zu einem kleinen Raum, der mit einem Sessel und einem Spiegel ausgestattet ist. Sarah entledigt sich ihres Mantels und stellt ihre Tasche ab. Sie zögert einen Augenblick, bevor sie die Mütze abzieht. Die Verkäuferin wartet ab, schweigend.

Ich werde Ihnen ein paar Modelle zeigen. Haben Sie eine bestimmte Vorstellung, was Sie suchen?

Ihr Ton ist weder schmeichlerisch noch mitleidsvoll. Er ist angemessen, schnörkellos. Sogleich fasst Sarah Vertrauen. Die Frau kennt sich ganz offensichtlich aus. Sie hat bestimmt schon Dutzende, nein Hunderte Kundinnen beraten, die sich in einer ähnlichen Situation befanden. Sie hat vermutlich tagein, tagaus mit vergleichbaren Fällen zu tun. Und dennoch fühlt Sarah sich in diesem Augenblick als etwas Besonderes. Die Verkäuferin beherrscht die große Kunst, weder zu dramatisieren noch zu banalisieren, und legt dabei eine unglaubliche Finesse an den Tag.

Sarah fühlt sich von ihrer Frage ein wenig überfordert. Sie weiß es nicht. Sie hat sich keine Gedanken darüber gemacht. Sie hätte gern … etwas Lebendiges, Natürliches. Irgendetwas, das ihr entspricht. Eine sehr naive Herangehensweise, tadelt sie sich selbst, wie sollen fremde Haare diesen Anspruch erfüllen?

Die Verkäuferin verschwindet und kehrt kurz darauf mit drei Kartons zurück, die aussehen wie Hutschachteln. Aus dem ersten holt sie eine kastanienbraune Perücke hervor – Synthetik, sagt sie, hergestellt in Japan. Sie schüttelt das Kunsthaar zurecht. In den Kartons bekommen sie manchmal Falten, erklärt sie, man muss ein wenig nachhelfen, damit sie wieder natürlich wirken. Sarah probiert die Perücke an, ist jedoch nicht überzeugt. Sie erkennt sich unter diesem fülligen Haarschopf nicht wieder, das ist nicht sie, die Frau mit dieser Mähne, sie kommt sich verkleidet vor. Ein gutes Preis-Leistungs-Verhältnis, meint die Verkäuferin, aber sicher nicht unser bestes Produkt. Sie greift in den zweiten Karton und reicht Sarah ein anderes Modell, es handelt sich ebenfalls um Kunsthaar, jedoch um einen deutlich höherwertigen Artikel, der unter dem Etikett »gehobener Komfort« rangiert. Sarah ist unentschlossen, lange betrachtet sie ihr Spiegelbild, es bleibt ihr fremd. Die Perücke ist nicht schlecht, es gibt nichts daran auszusetzen, außer dass sie aussieht wie eine Perücke. Nein, denkt Sarah, wahrscheinlich ist eine Mütze oder ein Kopftuch doch die bessere Lösung. Unbeirrt öffnet die Beraterin die dritte Schachtel. Ein Echthaar-Produkt, das gerade erst reingekommen ist, lässt sie Sarah wissen. Es ist extravaganter und teurer als alle anderen Artikel, die wir führen, aber einige Kundinnen sind bereit, das Geld auszugeben. Sarah nimmt die Perücke entgegen, sie ist erstaunt: Die Haare haben die gleiche Farbe wie ihre eigenen, sie sind lang, seidig, unglaublich weich und dick. Indische Haare, sagt die Verkäuferin. Sie sind in Italien, in einer kleinen Werkstatt auf Sizilien, verarbeitet worden, das heißt, man hat sie erst depigmentiert, dann umgefärbt und schließlich jedes Haar einzeln in feinen Tüll geknüpft. Es handelt sich um eine Perücke, die manuell auf dem Tressierrahmen gefertigt wurde. Ein sehr aufwendiges Verfahren, aber das Ergebnis ist spürbar qualitativer als mit der Nadel hergestellte Perücken. 80 Arbeitsstunden für ungefähr 150 000 Haare. Ein edles Produkt. Ein Meisterstück, wie man in unserer Branche sagen würde, fügt die Frau stolz hinzu.

Sie hilft Sarah beim Aufsetzen der Perücke – immer von vorn nach hinten, sagt sie, das erscheint am

Anfang kompliziert, aber man gewöhnt sich schnell daran. Irgendwann brauche man nicht einmal mehr einen Spiegel. Selbstverständlich könne sie das Perückenhaar beim Friseur nach ihrem Geschmack schneiden lassen. Das Gespräch dreht sich nun um praktische Themen, vom Shampoo bis zur Wassertemperatur – alles ist wie bei eigenen Haaren. Sarah hebt den Kopf und beobachtet sich im Spiegel: Die Frau, die vor ihr steht, sieht ihr zum Verwechseln ähnlich, aber es ist eine andere Frau. Ein merkwürdiges Gefühl. Sie erkennt ihre Gesichtszüge wieder, ihre blasse Haut, ihre Augenringe. Das ist sie, ohne Zweifel. Sie berührt das fremde Haar, zupft ein paar Strähnen zurecht, gibt der Frisur eine Form. Die Haare lassen sich problemlos bändigen, man kann sie zurückstecken, glattstreichen, bürsten. Sarah ist begeistert über so viel Kooperationsbereitschaft. Unmerklich gehen die Haare, die ihr eben noch fremd waren, über in etwas, das zu ihr gehört. Geschmeidig legen sie sich um Sarahs ovale Gesichtsform, passen sich ihren Zügen an, ihrer Gestalt, ihrer gesamten Erscheinung.

Sie kann den Blick kaum von ihrem Spiegelbild lösen. Diese Perücke gibt ihr wieder, was sie verloren glaubte. Ihre Kraft, ihre Würde, ihren Willen, alles was sie zu der Person macht, die sie ist: die stolze, starke Sarah. Die schöne Sarah. Und auf einmal fühlt sie sich bereit. Sie dreht sich zu der Verkäuferin um und bittet sie, ihr den Kopf zu rasieren. Jetzt, hier, auf der Stelle. Sie will die Perücke ab sofort tragen, und sie will sich nicht dafür schämen. Ohne ihr licht gewordenes eigenes Haar wird es leichter sein, sie richtig aufzusetzen und zu fixieren. Früher oder später müsste sie sich ohnehin kahlscheren lassen, warum also nicht gleich.

Die Frau nickt. Sie greift nach einem Rasierer und erledigt die Aufgabe mit sanfter und geübter Hand.

Als Sarah die Augen wieder öffnet, hält sie überrascht inne. Frisch rasiert wirkt ihr Kopf kleiner als zuvor. Sie sieht aus wie ihre Tochter mit einem Jahr, noch ohne Haare – wie ein Baby sieht sie aus! Sie versucht, sich die Reaktion ihrer Kinder vorzustellen, das große Staunen beim Anblick ihrer kahlköpfigen Mutter. Ob sie sich ihnen so einmal zeigen wird? Vielleicht, eines Tages. Später.

Oder auch nicht.

Sie setzt die Perücke auf ihren glatten Schädel, wie die Verkäuferin es ihr gezeigt hat, und streicht sich durch das fremde Haar, das nun ihres ist. Dann sieht sie auf, mit der Gewissheit: Sie wird leben. Sie wird sehen, wie ihre Kinder heranwachsen. Sie wird sie als Teenager erleben, als Erwachsene, als Eltern. Sie wird ihre Interessen kennenlernen, entdecken, welche Talente in ihnen schlummern, den Menschen begegnen, in die sie sich verlieben. Sie will sie auf ihrem Lebensweg begleiten, ihnen als Mutter mit Wohlwollen, Zuneigung und Respekt zur Seite stehen.

Sie wird siegreich aus diesem Kampf hervorgehen, womöglich sehr erschöpft, aber sie wird ihn überstehen. Was zählen schon diese paar Monate Chemotherapie, vielleicht werden es auch Jahre sein – egal, wie lange sie sich in Behandlung begeben muss, sie wird ab jetzt ihre gesamte Energie und Kraft darauf konzentrieren, wieder gesund zu werden.

Sie wird nie mehr die mächtige, selbstsichere Sarah Cohen sein, die viele bewundert haben – sie weiß, dass sie weder unverwundbar noch eine Superheldin ist. Sie wird ab jetzt sie selbst sein, Sarah, eine Frau, die einiges auf ihrem Weg einstecken musste. Eine Frau mit Narben, Verletzungen und Schwächen. Sie wird nicht mehr versuchen, sie zu kaschieren. So vieles in ihrem Leben ist eine Lüge gewesen, bevor die Krankheit sie ereilte, damit soll nun Schluss sein.

Sobald ihr gesundheitlicher Zustand es erlaubt, wird sie ihre eigene Kanzlei eröffnen, ein paar ihrer

Mandanten haben sie nicht aufgegeben und würden sich sicher auch weiterhin gern von ihr vertreten lassen. Außerdem ist sie fest entschlossen, einen Prozess gegen *Johnson & Lockwood* anzustrengen. Sie ist nicht umsonst eine gute Anwältin, eine der respektabelsten der Stadt. Sie wird die erlittene Diskriminierung öffentlich machen, im Namen der vielen Männer und Frauen, die in der Arbeitswelt vorschnell als untauglich abgestempelt und dadurch doppelt bestraft werden. Für sie alle wird Sarah vor Gericht ziehen. Und tun, was sie am besten kann: kämpfen.

Sie hat sich vorgenommen, ihren Lebensrhythmus umzustellen, sie will mehr Zeit mit ihren Kindern verbringen, sich freinehmen können für Kirmessen und Schulaufführungen. Kein einziger Geburtstag soll mehr ausfallen! Sie wird mit ihnen in Urlaub fahren, im Sommer nach Florida, im Winter zum Skifahren. Nichts und niemand wird sie in Zukunft dieser wertvollen Momente berauben. Aus und vorbei die Jahre, in denen sie Mauern errichtete und ihre Existenz auf einer Lüge gründete. Für immer soll sie verbannt sein, die Frau, deren Leben in zwei Teile zerfällt.

In der Zwischenzeit muss sie sich gegen die Mandarine zur Wehr setzen, und zwar mit den Waffen, die ihr zu Gebote stehen: Mut, Stärke, Entschlossenheit und Intelligenz. Und mit Hilfe einer tapferen Armada: ihrer Familie, ihrer Kinder, ihrer Freunde, die sie so lange vernachlässigt hat. Nicht zu vergessen: die Ärzte und Krankenschwestern, die Onkologen, Radiologen und Apotheker, die sich tagtäglich und unermüdlich für sie einsetzen. Plötzlich kommt es ihr vor, als stehe sie am Anfang eines pharaonischen Heldenepos, um sie herum entfaltet sich eine unglaubliche Energie. Wärme durchströmt ihren Körper, es regt sich etwas völlig Neues in ihr, ein nie dagewesener Schmetterling, sanft schlägt er mit den Flügeln in ihrem Bauch.

Draußen wartet die Welt, das Leben, warten ihre Kinder auf sie. Sie wird sie heute abholen – das hat sie noch nie getan, zumindest sehr selten. Hannah wird Tränen vergießen, vor Freude. Die Zwillinge werden ihr entgegenlaufen und sich über ihre neue Frisur wundern. Und dann wird Sarah es ihnen erklären. Sie wird ihnen von der Mandarine erzählen, von ihrer Arbeit und von dem gemeinsamen Kampf, der ihnen bevorsteht.

Während sie das Geschäft immer weiter hinter sich lässt, muss sie an die Frau denken, die am anderen Ende der Welt, in Indien, ihre Haare geopfert hat. Und an die sizilianischen Arbeiterinnen, die diese Haare mit Sorgfalt aufbereitet und zu einer Perücke geknüpft haben. Plötzlich hat sie das Gefühl, das ganze Universum arbeite Hand in Hand an ihrer Genesung. Ihr kommt ein Satz aus dem Talmud in den Sinn: »Wer auch nur ein einziges Leben rettet, rettet die ganze Welt.« Heute rettet die ganze Welt sie, und Sarah würde sich gern dafür bedanken.

Sie sagt sich, dass sie lebt, ja, sie ist da.

Und sie wird noch lange da sein.

Bei diesem Gedanken muss sie lächeln.

Epilog

Mein Werk ist vollbracht.
Die Perücke liegt da, vor meinen Augen.
Ein einzigartiges Gefühl durchströmt mich.
Und niemand sieht zu.
Dieses Glück gehört allein mir,
die Freude über die erfüllte Aufgabe,
der Stolz auf gute Arbeit.
Ich lächele wie ein Kind vor seiner Zeichnung.

Ich denke an diese Haare,
an den Ort, von dem sie stammen,
an den Weg, den sie zurückgelegt haben,
an die Strecke, die noch vor ihnen liegt.
Sie wird lang sein, ich weiß es.
Sie werden mehr von der Welt sehen,
als es mir je möglich sein wird.
So eingeschlossen in meiner Werkstatt.
Aber was spielt das für eine Rolle,
ihre Reise ist auch meine.

Ich widme meine Arbeit all den Frauen,
die durch ihre Haare miteinander verknüpft sind
wie zu einem großen Seelengeflecht.
Denen, die lieben, gebären, hoffen,
die stürzen und sich wiederaufrichten,
Tausende Male,
die leiden, aber nicht zugrunde gehen.
Ich kenne ihre Kämpfe,
ich teile ihre Tränen und ihre Wonnen.
Jede von ihnen ist ein Teil von mir.

Ich bin nur das Band,
ein lächerliches Zwischenglied
am Schnittpunkt ihres Daseins,
ein dünner Faden, der sie miteinander
verbindet,
so fein wie ein Haar,
unsichtbar für die Welt und für die Augen.

Morgen werde ich mich an ein neues
Werk machen.
Andere Geschichten warten auf mich.
Andere Leben.
Andere Seiten.

Danksagung

Ich danke Juliette Joste für ihren Enthusiasmus und ihr Vertrauen.

Meinem Mann Oudy für seine unerschütterliche Unterstützung.

Meiner Mutter, die seit meiner Kindheit meine erste Leserin ist.

Sarah Kaminsky, die mich auf jeder Etappe dieses Buches begleitet hat.

Hugo Boris für seine mehr als wertvolle Hilfe.

Françoise vom Atelier Capilaria in Paris für ihre offene Tür und die vielen Einblicke in ihr Metier.

Nicole Gex und Bertrand Chalais für ihre sachkundigen Ratschläge.

Den Dokumentalisten der Inathèque, die mir bei meinen Recherchen sehr geholfen haben.

Und nicht zuletzt meinen Französischlehrern, die seit jeher meine Freude am Schreiben gefördert haben.

Zitatnachweise

Beauvoir de, Simone, *Das andere Geschlecht*. Aus
dem Französischen von Eva Rechel-Mertens und Fritz
Montfort, Rowohlt Verlag, Hamburg 1951

Pavese, Cesare, *Der Tod wird kommen und er wird
deine Augen haben*, aus: *Hunger nach Einsamkeit.*
Sämtliche Gedichte. Aus dem Italienischen von Dagmar
Leupold, Michael Krüger, Urs Oberlin, Lea Ritter-
Santini und Christoph Meckel, Fischer Taschenbuch
Verlag, Frankfurt am Main 1991

Zsuzsa Bánk
Die hellen Tage
Roman
Band 18437

Schicksal oder Zufall – was bestimmt unseren Lebensweg?
Was macht uns zu dem, was wir später als Erwachsene sind?
Nach ihrem hochgelobten Debütroman ›Der Schwimmer‹
schreibt Zsuzsa Bánk die bewegende Geschichte dreier Kinder, die den Weg ins Leben finden. ›Die hellen Tage‹ ist ein
großes Buch über Freundschaft und Verrat, Liebe und Lüge –
über eine Vergangenheit, die sich erst allmählich enthüllt, und
die Sekunden, die unser Leben für immer verändern.

»Ein Buch, dessen einziger Makel darin besteht,
dass es irgendwann aufhört.«
Andreas Kilb, Frankfurter Allgemeine Sonntagszeitung

»Ein Fest des Widerstands gegen
die Zumutungen des Lebens.«
Britta Heidemann, Westdeutsche Allgemeine Zeitung

Fischer Taschenbuch Verlag

fi 18437 / 1